アメリカ帝国消滅後の世界

大掃除される《悪魔》ハザールマフィア

ベンジャミン・フルフォード
Benjamin Fulford

はじめに

現在、私たち人類は、後世、歴史の教科書に「あの時、人類の未来が変わった」と書かれることになる、途方もなく重大なターニング・ポイントに立っている。

2024年という年号は、必ずや、1776年（アメリカ独立宣言）、1789年（フランス革命）、1917年（ロシア革命）、1991年（ソ連崩壊）と同じレベルの重要年号として後世の歴史書に刻まれる。

大きな歴史の大動乱のただ中にいるとき、私たちは往々（おうおう）にして自分たちがそのようなクリティカルな瞬間に立ち会っていることに気づかない。起こっている出来事のすべての意味が明らかになるまで、どうしても時間がかかる。

ましてや、日本のメディアの海外ニュースは、米英の大手メディアの報道を検証もせずそのまま流しているだけで、その大手メディアは、長らく人類を支配してきたハザールマフィアの支配からまだ抜けきっていない。

だから、日本人には今、世界で〝本当に〟起きていることが正しく伝わっていない。むしろ、インターネットによって発信されている真実に大手メディアは太刀打ちできなくなっている。はっきり言って、日本のメディア報道は世界から見たら、1年以上は遅れている。

真実は、現在、既存の欧米権力の動きが明らかに危険水域に突入している。もう、明日にでも「何かとんでもない事」が起きる予兆が世界中のいたるところに溢れている。明らかに、世界はまもなく大転換する。180度ひっくり返る、と言ってもいい。

当然のことながら、それは大きなカオスの時期をともなう。

だが、新たに始まる新世界体制は、これまで人類を支配してきたハザールマフィアの悪魔的な所業を一掃――大掃除――し、カオスを治め、必ずや輝かしい人類の新たな歴史の最初の一歩を記録することになる。

まもなく、アメリカ〝帝国〟が消滅する。

まずは、そのもはや変えられない真実を、納得してもらうことから始めよう。

装丁・泉沢光雄
カバー写真・Irina Dmitrienko/Alamy/amanaimages
構成・水波康（水波ブックス）

『アメリカ帝国消滅後の世界　大掃除される《悪魔》ハザールマフィア』◆目次

第3章　アメリカ帝国はまもなく崩壊する——11月米大統領選は中止になる……111

第1章

米欧の権力者「失脚ドミノ」

――今、秘密裏に進んでいる世界権力構造の大転覆

◆日本のメディアは古いストーリーを伝えている

日本のテレビや新聞の報道はおかしい。今、多くの国民が疑いの目で見ている。不都合な真実から国民の目を逸らせること。それが大手メディアの仕事の1つだ。

終わりが見えないイスラエルとハマスとの戦闘やウクライナ戦争の報道は、その典型的な事例と言える。その目的は、「ウクライナにおける欧米の敗北」や「アメリカとイスラエルの危機的状況」「西側の国際的な孤立」という事実、そして、その裏から策謀する「ハザールマフィア」の存在をニュースから完全に消し去ることだ。

しかし、どんなにごまかしても、人々はいつか真実を知ることになる。

私の好きなテレビシリーズに「ブラックリスト」がある。ずば抜けた知能の逃亡犯、レディントンが新米分析官のパートナーとなり、凶悪犯逮捕に協力する。ジェームズ・スペンター主演の犯罪サスペンスドラマだ。

アメリカのNBCで2013年9月から10年に渡って放送され、2023年7月、惜しまれつつ最終のシーズン10で幕を閉じた。

今、「ブラックリスト」はネットフリックス（Netflix）でも配信されていて、毎回楽しみにしている。残念なことに、アメリカ国内では、シーズン10が2024年の2月から始まったのに、日本では、シーズン9がようやく放映中だ。

私に言わせると、日本の報道は欧米から1、2年遅れている。「ブラックリスト」のように、日本のメディアが日々流しているニュースに、なぜか既視感を感じざるを得ない。今、日本の報道は、私たちの目の前で起きている現実ではなく、古いストーリーを伝えている、と言ったらいいのだろうか。

日本では、NHKや大手新聞の報道を鵜呑み（うの）みにしている人も少なからずいるが、しょせんは「大本営発表」だ。ウクライナ一辺倒も、まったく今の現実に当てはまらない。

本当は信用されていないし、観られていないし、読まれてもいない。誰からも相手にされていない。なぜなら、現地に足を運んで取材して報道するのではなく、欧米の報道を日本語に訳して流すだけの「完コピ」だからだ。

とはいえ、欧米の大手メディアもまた、大本営発表だ。CNNやニューヨーク・タイムズをいくらチェックしても、世界の真実はわからない。

第2次世界大戦中、1942年6月、日本海軍はミッドウェー海戦で、空母4隻、航空機約300機を失う大敗北を喫した。そのときの大本営発表は「空母1隻喪失、1隻大破」で、日本軍の勝利だ。

大本営発表は敗戦直前まで、ナチスドイツが秘密兵器で巻き返すとか、勝つのは時間の問題などと、戦況が悪化しているのにもかかわらず、優勢であるかのような虚偽の発表で国民を騙(だま)し続けた。

それでは、いったい誰が大本営発表のシナリオを書いて、欧米や日本のメディアに報道させているのだろうか。その意図はどこにあるのだろうか。

近年、X(旧ツイッター、Twitter)をはじめ、大手メディアに激しく対抗する改革勢力の活躍で、真実に目覚める人が増えている。さすがに、ウクライナで欧米が完敗したと認めざるを得なくなった。ガザ地区で行われている「大量虐殺の真意」も徐々にだが、理解され始めている。

これまで世界の超エリート、特権階級にしか伝えられなかった恐るべき真実が、勇敢な改革勢力によって暴かれようとしている。もう大本営発表で洗脳することはできない。世界の人々は見ているのだ。大本営発表を信じないのが世界の流れだ。

もちろん、古いストーリーを伝えるだけの日本の主要メディアなど論外だ。

本書では、今、世界の最深部で起きている事件と真相を読者にお伝えする。私の本を初めて手にした読者は、世界の頂点に君臨する悪魔崇拝のカルト、ハザールマフィアの残虐さ、悪辣さ、淫猥さに驚き、あきれ、不快になるかもしれない。

しかし、真実から目を背けてはいけない。あなたも映像で見たことがあるだろう。ある日突然、北海の海に浮かぶ巨大な氷山が崩落し、一瞬のうちに周辺世界が変貌する様を。もう、その日は近いからだ。

◆超エリートが次々に姿を消すアメリカ国内の粛清劇

今、欧米の改革勢力が「悪魔を崇拝する欧米エリート」の粛清を加速させている。

今年（２０２４年）に入ってからも、すでに多くの超エリートたちが公の場から姿を消した。

２月６日、突然、アメリカのヴィクトリア・ヌーランド国務次官の退任が発表され、世界に衝撃を与えた。国務省のナンバー３であるヌーランドは、２０１４年、ウクライナで、政権転覆の謀略、「マイダン革命」を引き起こした。

ヌーランドこそが、ロシアのウクライナ侵攻の元凶をつくり、今に至るウクライナと世界を危機に陥れた張本人だ。

アメリカのウクライナ政策の中心的役割を担った総元締めであり、ウォロディミル・ゼレンスキー大統領の言動を振り付けていた。事実上のウクライナ大統領は彼女だった。ロシア攻撃にもっとも積極的だったのは悪辣（あくらつ）なヌーランドであり、このままでは第３次世界大戦に突入することが明らかだった。

公式発表では退任だが、ＣＩＡ情報筋によると、ヌーランドは、イラク戦争の立案者である夫のロバート・ケーガン（ブルッキングス研究所上席フェロー、ネオコンの代表的論者）と共にすでに処刑されたという。

2024年2月6日、退任が発表されたヴィクトリア・ヌーランド国務次官。筆者のCIA情報筋の話では、夫のロバート・ケーガンともども米軍に処刑されたという

ヴィクトリア・ヌーランド

ロバート・ケーガン

2023年12月から2024年1月にかけて不可解な入退院を繰り返したロイド・オースティン国防長官

これはまさしく、バイデン政権の反ロシア路線の失敗、引いては、ウクライナでの西側の敗北を決定づける象徴的な辞任、処刑劇だろう。当然、そこに至るまでに、欧米権力の最高峰において壮絶な派閥間争いが繰り広げられたということだ。

1月に発覚したロイド・オースティン米国防長官の入退院も不可解な事件だった。

1月15日、米国務省は入院していたオースティン国防長官が2週間ぶりに退院したと発表した。オースティンは、昨年12月、前立腺がんの手術を受け、入院。元日に、手術の合併症で再入院していた。

この際、ジョー・バイデン大統領をはじめ、長官としての権限を委ねられるキャスリーン・ヒックス副長官、アメリカ軍のスポークスマン、ジェイク・サリバン国家安全保障担当補佐官も、オースティンの不在を数日に渡り把握していなかった。ヒックスはプエルトリコに休暇中で、オースティンの入院をまったく知らなかったと語った。

こんなバカなことがあるのだろうか。本来、アメリカの核爆弾を管理している人物であれば、あり得ないことだ。

通常、大統領と国防長官は一緒になって、いわゆる「核のボタン」を押す。どちらかの不在はまったくの想定外だ。

アメリカは小さな「バナナ共和国」（名ばかり共和国を揶揄する言葉）ではない。ロシア政府の高官は驚き、あきれているだろう。世界を制覇していると名乗る国のトップが、こんなことを起こすはずもないと。

その後もオースティンは入退院を不安定に繰り返した。入院したと思えば、違う顔で退院し、またいなくなる。そして、さらに別の顔で復活する。

本当は、オースティンは入退院などしていない。その度に違う「影武者」が出てきては、次々に逮捕され、消えていったのだ。

2月29日には、「4人目のオースティン」が下院の公聴会に登場し、「ウクライナが崩壊すれば、NATOはロシアと戦わなければならないだろう」とNATOの参戦を示唆する異例の発言をしている。

ここで見えてくるのは、バイデン政権がアメリカ軍を仕切っていないという驚愕の事実だ。バイデンはもはや軍を管理していない。アメリカは超エリート勢力の権力闘争で二分され、内戦すら起こりかねない危険な状況にある。

真実を告発するアメリカの改革派の1人、元国防長官上級顧問のダグラス・マクレガー退役大佐は、「本当のアメリカ大統領は、イスラエルのベンヤミン・ネタニヤフ首相だ」と明言している。

「イスラエルは事実上、ワシントンを支配している。彼らは欲しいものは何でも手に入れてきている。率直に言って、ネタニヤフ氏はバイデンよりもワシントンで影響力と権威を発揮している」（2023年11月15日、ダグラス・マクレガー、Xより）

アメリカ軍で影響力がある実力者たちが、口々にそう言っているのだ。

2023年11月29日には、長年にわたり欧米の最高権力者の1人とされてきたヘンリー・キッシンジャー（元米国務長官）の死が報じられた。

キッシンジャーは、ロックフェラー家の3代目当主で、世界の頂点に君臨していたデイヴィッド・ロックフェラー（2017年死去）の筆頭のカバン持ちだった男である。デイヴィッドの死後はロックフェラー一族の事実上の司令塔を担ってきた。

当然、バイデン政権を裏からコントロールしていたのもキッシンジャーだった。キッシンジャーの死がバイデン政権の命運を大きく左右したと言えるだろう。

本当のアメリカ大統領はネタニヤフだとすると、イスラエルのネタニヤフ首相が失脚した時が、アメリカをはじめ、欧米エリートが粛清される最期の一幕となる。

イスラエル国内では、ネタニヤフの汚職裁判が再開された。良心的なユダヤ人はガザ地区での大量虐殺に反旗を掲げている。ごく近い将来、ネタニヤフが粛清されるのは間違いない。

CIA筋によると、悪魔崇拝エリート、ハザールマフィアの最高幹部だったジョージ・ソロスが2017年に殺害された後、グーグルの創業者ラリー・ペイジがその地位を引き継いでいる。2017年に、ソロスの遺産相続の報道が表に出た。死んでいなければ遺産の話になるわけがない。一方、ラリー・ペイジのほうは逃げ回っていて、最後に目撃されたのはフィジー島だったという。

◆追い詰められたロスチャイルド一族

２０２４年2月26日、世界を金融で支配してきたロスチャイルド・ロンドン家６代目当主、ジェイコブ・ロスチャイルドの死亡が発表された。87歳だった。

そのとき、不思議なことが起きた。例外的な儀式として、白い馬に乗り、黒い旗を持った近衛兵の旗手がロンドン中を駆け回ったのだ。

英ＭＩ６（エムアイシックス）関係者によると、英王室の騎手は、国王と王妃の立会いなしに、白い馬に乗れないことになっている。本来、白馬は王を象徴する。しかも、白い馬は、王が死んだという合図だという。英王室はジェイコブがイギリスの本当の王だったと認めたのかもしれない。

ポーランドの諜報機関から、次の英国王のウィリアム王子の実際の父は、亡くなったジェイコブ・ロスチャイルドであるという情報を入手した。写真で見ると確かに似ているが、何とも言えない。

2024年2月26日、死亡が発表されたジェイコブ・ロスチャイルド。白い馬に乗り、黒い旗を持った近衛兵の旗手がロンドン中を駆け回った

ジェイコブ・ロスチャイルド

ナサニエエル　長女ハンナ

ウィリアム王子の本当の父親はジェイコブだという情報が入った

ロンドンの街を駆け回った
白い馬で黒い旗を持った近衛兵

私の情報筋によると、ジェイコブは、約6年前の2017年11月にすでに死んでいる。バッキンガムシャー州郊外にある彼の大別邸の上空で、奇妙な飛行機事故が起きた。空中でヘリコプターと小型機が接触し、敷地内に墜落したのだ。

この時、マスコミでは、「4人が死亡した」と報じられており、ジェイコブもこの事故に巻き込まれて死亡したという。たしかに、それ以降、ジェイコブは表舞台から姿を消している。

今日までジェイコブの死が公表されなかったのは、ロスチャイルド財団の巨大な資産の利権が絡んでいるためだ。ロスチャイルド財団の資産は、建前上10億ドル、本当は500兆ドルだとも噂（うわさ）されている。

日本で言えば、2023年11月15日、長年、姿を見せなかった池田大作創価学会名誉会長の死亡が発表された。これも同じ理由だと言えば、わかりやすいだろうか。金の亡者（もうじゃ）とまで言われた池田会長の周辺にはさまざまな利権が絡んでいた。すでに死亡しているという説や、植物人間説もあった。今、このタイミングで死亡が発表されたのには明らかに世界権力者たちの動向と関係がある。

ロスチャイルド・フランス分家の当主ダヴィド・ルネ・ド・ロスチャイルドも現在、行方不明

ダヴィド・ルネ・ド・ロスチャイルド

2021年に死亡した
ベンジャミン・ド・ロスチャイルド

世界経済フォーラム（WEF）のクラウス・シュワブもロスチャイルド一族。現在スイスに雲隠れ

ＭＩ６筋によると、今回、ジェイコブ・ロスチャイルドの死去が正式に発表されたことは「欧米金融システムの頂点における変化」を意味するという。トップが変わったということだ。

イギリス国内の報道によると、ジェイコブ・ロスチャイルドの後継は長男のナサニエル・フィリップ・ロスチャイルド（通称ナット）ではなく、長女のハンナ・ロスチャイルドだという。

驚いたことに、当然だと思われたナサニエルがジェイコブの後を継いでいない。最近、ナサニエルは公の場から姿を消している。ということは、ナサニエルも粛清され、すでに死亡している可能性が高い。

ロスチャイルド、フランス分家の現当主、ダヴィド・ルネ・ド・ロスチャイルド（ロチルド）も行方不明だ。同じくフランス分家のベンジャミン・ド・ロスチャイルドも、２０２１年、心臓麻痺のためスイスの自宅で急死している。

ダボス会議（世界経済フォーラム、ＷＥＦ）の創設者で国連やＷＨＯなど国際機関を束ねるクラウス・シュワブもロスチャイルドの一族だ。母親の旧姓はロートシルト（ロスチャイルドのドイツ語読み）である。シュワブは密かにスイスの地下施設に隠れていると言われていたが、先日入ったＭＩ６筋の情報によると、サウジアラビアで行われたダボス会議に初めて欠席したので、シュワブもまたすでに粛清されたと言われている。

私の見方では、ハザールマフィアに属するロスチャイルド家（ロス＝赤、シルド＝悪魔の盾）の一族が、改革勢力の一派である「グノーシス派イルミナティ」によって追い詰められている。

「今、ハンナ・ロスチャイルドは、ロスチャイルド一族のメンバーを殺害しないことを条件に、降参交渉を進めている」とアジアの結社筋は伝えている。

◆英王室の異常事態と隠蔽工作

２０２４年に入って、ロスチャイルド家とともに英国王室内でも激しい粛清が加えられている。多くの超エリートが公の場からいなくなった。

英国王チャールズ３世をはじめ、カミラ・シャンド王妃、ウィリアム皇太子、キャサリン・ミドルトン皇太子妃、チャールズ国王の弟のヨーク公爵アンドルー王子、エディンバラ公爵エドワード王子など、多くの王室メンバーが姿を消している。英王室の異常事態を順に挙げてみよう。

2月、英王室は、「チャールズ国王が、がんと診断され、治療中は公務を休む」と発表し、その後、チャールズは姿を消した。

また、1月に腹部の手術を受けたウィリアム皇太子の妻、キャサリン妃は、退院したもののいまだに復帰していない。

その間、SNS上で話題になったのは、故ダイアナ妃の親友だった人物が、「キャサリンはイルミナティの血の犠牲（悪魔崇拝儀式の生贄（いけにえ））として殺された」という告発のコメントだった。

そうした情報を打ち消そうと、3月10日、英王室はキャサリンの健在ぶりをアピールするために、3人の子供と映った家族写真を公開した。ところが、それは明らかに加工された写真だと、すぐにマスコミに暴露されてしまい、疑惑はさらに深まった。

次に、3月22日、ビデオメッセージでキャサリン妃の姿が公開され、「がんと診断された」と告白した。

しかし、BBCの王室担当記者は、「その女性は明らかにキャサリン妃ではない」と断言した。そこに映っているのは、英王室が用意したハイジ・アガンというキャサリン妃の「そっくりさん」タレントだった可能性が高い。

キャサリン妃と同様に、夫のウィリアム皇太子もチャールズ国王もカミラ王妃も、弟のアンドリュー王子、エドワード王子もなぜか姿を見せていない。

さらに言えば、ヨーク公爵夫人セーラ（チャールズ国王の弟のアンドルー王子の元妃）が皮膚がんだという発表があった。マイケル・オブ・ケントというエリザベス2世の従弟でフリーメーソンのトップも消えている。トーマス・キングストン（マイケル・オブ・ケント王子の娘婿でフリーメーソンの幹部）は2月に殺された。英王室は異常事態の真っただ中にいる。

私の元には、「チャールズ国王の死亡」がさまざまな情報筋から入ってくる。

3月18日、ロシアやウクライナのメディアが、「チャールズ英国王が、昨日午後、突然死去した」というニュースをXや通信アプリ、テレグラムで流した。

「がんと診断された」と告白するキャサリン妃のビデオメッセージ(2024年3月22日)。この動画の中で彼女の指輪が消えたり現れたりしたのでＣＧだと判定された

この上の「キャサリン妃」は下のどちらと似ているだろうか？

左が本物のキャサリン妃、右が英王室が用意したハイジ・アガンというタレント

チャールズ国王、キャサリン皇太子妃と相次いでがんと発表された英国王室。本当はすでに死亡しているとの情報が入って来ている

英国王チャールズ3世　　　　各所で見られる半旗

The 12 questions raised by sweet family picture that sparked a royal furore

Palace discussions

2024年3月10日、健在ぶりをアピールしようと出された家族写真は、すぐに加工された写真だとマスコミに曝露された

そして実際、17日には、イギリス政府の複数の施設で半旗が掲げられていた。半旗は旗竿の先端から3分の1から半分ほどさげて掲げる旗のことで、要人の死に際して弔意の表明として行われる掲揚方法だ。突然、チャールズ国王の死が発表されるのではないか、という憶測が広まった。

ほぼ同時に、なぜかバラク・オバマ元米大統領が英国首相官邸を訪問。その直後に、唐突に、イギリス政府が「チャールズ国王もキャサリン妃も健在だ」と声明を発表している。

話は1年前にさかのぼる。２０２３年5月6日に、チャールズ3世の戴冠式がロンドンのウエストミンスター寺院で執り行われた。この時の宗教的で華やかな映像は世界に配信され、読者の記憶に新しいかもしれない。

ところが、ＣＩＡ筋によると、「チャールズは、この戴冠式の時には、すでに死亡していた」という。つまり、英国民の前で厳(おごそ)かに振舞った人物は、チャールズの影武者だったということだ。

戴冠式の日はエリザベス女王の葬儀（２０２２年9月19日）から6か月6週6日目、つまり悪魔の数字６６６を示す日付だった。本来なら「国王の死から1年間は喪に服する」という習慣があるにもかかわらず、あえてその日に戴冠式が行われたのは、「反チャールズ」の世論を形成する計略だったと聞いている。

2月の「チャールズ国王が、がんと診断された」という公表は、今後、チャールズの死を正式に発表するための準備の一環なのだという。

公表の直前、「全寮制のエリート寄宿学校（オールデナム校）で数十年にわたり続いている〝大規模な小児性愛者の組織〟にチャールズ国王が関与している」という内部告発がネット上で発信され、騒ぎになった。告発したのは、実際にいた元生徒だ。

それによると、これまでにチャールズは何百人もの子供たちを強姦（ごうかん）したり拷問（ごうもん）したりしてきたという。

イギリスの情報筋は、「キャサリンを生贄（いけにえ）にしたことが英当局の良心派に知られ、その儀式に参加した英王室のメンバーたちは皆、すでに粛清された」と伝えている。

同筋によると、悪魔崇拝マフィアらは、その事実を世間に悟られないよう必死で隠蔽工作をしているのだという。

英王室のメンバーをはじめ、先に挙げたアメリカのヴィクトリア・ヌーランド国務次官、米国防長官ロイド・オースティン、ロスチャイルド家のジェイコブ・ロスチャイルド、ナサニエル・ロスチャイルド、ヨーロッパ王室関係では、ノルウェー国王ハーラル5世、デンマーク女王マルグレーテ2世、そしてローマ法王フランシスコ……。

これら人物のほとんどが、緊急入院や退位、死亡などの理由で表舞台から消えている。彼らの共通点は、「子供を拷問して生贄(いけにえ)にする悪魔崇拝の儀式」に参加していたこと。

欧米改革勢力による粛清は、悪魔崇拝エリートの最後の1人が消えるまで続くだろう。

◆ローマ法王フランシスコは2020年に殺されている

ローマ法王（教皇）フランシスコは、世界13億人を超えるカトリック信者の最高指導者だ。バチカンの世界に与える影響力はとてつもなく大きい。

このカトリック教会の頂点、ローマ法王フランシスコは、2020年に殺されたようだ。

問題となったのは、2020年4月12日の映像だ。この日、フランシスコ法王は、イースター（復活祭）に際し、祝福とメッセージをライブ配信で世界に送った。建物の謁見窓からサン・ピエトロ広場のほうに姿を見せた瞬間、突然、フランシスコの姿が消えてしまった。

サン・ピエトロ広場でのフランシスコ法王の一般謁見は毎週水曜日と日曜日に行われており、誰でも拝謁できる。ところが、突然、ホログラムとしか思えない法皇が出てきて、これまでとは、180度異なることを言い出した。

カトリック教会は同性愛者の婚姻を禁じてきた。そのタブーとしてきた同性愛者の事実上の結婚を認めるべきだ、という発言をしたのだ。

2020年に公開されたフランシスコを題材としたドキュメンタリー映画『フランシスコ』（エフゲニー・アフィネフスキー監督）でも、「同性愛者も家族になる権利を持っている。何者も見放されるべきではない」と語っている。

ところが、不思議なことに、2021年、ローマ教皇庁（バチカン）は、「神が罪を祝福することは不可能だ」と公式見解で同性婚の容認を真っ向から否定した。

ホログラムとしか思えないフランシスコとともに、コロナ渦中に現れた白いマスクを着けたフランシスコも本物かどうか怪しまれている。その後、白いマスクのフランシスコは緊急入院し、公の場に出て来なくなった。

ローマ法王というのも、しょせんはアイコン（象徴）だ。たとえば、天皇陛下という地位がある。たいへん乱暴な言い方かもしれないが、誰であろうが、天皇陛下は天皇陛下だ。

そのような意味合いで、ローマ法王や英国の王様、アメリカの大統領、国務長官などは、権力を温存するために影武者が激しく入れ替わる。影武者が公の場から消えるということは、殺されたか、その役目が終わったことを意味する。

2023年11月、フランシスコ法王は、「司祭が同性カップルに祝福を与えることを許可する」という正式発表をした。

この同性愛結婚を認めるという宣言は、世界のカトリック信者に衝撃と混乱を与えている。

そもそも聖書は同性愛を不道徳な性的罪として禁止している。旧約聖書の「レビ記」

現在のローマ法王フランシスコは影武者だ。筆者に入っている情報では、フランシスコは2020年に死んでいる。2020年4月12日、サン・ピエトロ広場に法王庁の窓から姿を見せたフランシスコの姿は明らかにホログラムだった

法王フランシスコの姿は、突然緑色の走査線に覆われたあと跡形もなくぱっと消えた
（https://www.youtube.com/watch?v=b7xsZiV9RH4）

には、「女と寝るように男と寝てはならない。それはいとうべきことである」（18－22）と、同性同士の性行為を汚れた罪だと書いてある。

また、新約聖書の「コリントの信徒への手紙一」には、義に反する正しくない者として、「男娼、男色をする者（中略）は、決して神の国を受け継ぐことができません」（6－9～10）と、同性愛者は天国に行けないとさえ記されている。聖書に忠実なキリスト教の信者にとって、同性愛の行為、同性同士の結婚は神の御心に反する罪であるのが明白だ。

敬虔なカトリック信者が多く住む南米とアフリカの教会は激しく反発し、フランシスコの発言に従わない方針を示している。

今、カトリック・ローマ教会の内部で反乱が起きている。フランシスコ（の影武者）とその裏にいるハザールマフィアはカトリック・ローマ教会の支配を失った。

◆映画『アイズ ワイド シャット』と悪魔崇拝の儀式

巨匠スタンリー・キューブリック監督の『アイズ ワイド シャット』(1999年公開)という映画を観たことがあるだろうか。

キューブリックは『2001年宇宙の旅』や『博士の異常な愛情』『時計じかけのオレンジ』が代表作とされるだろうが、遺作となった『アイズ ワイド シャット』も謎に包まれた名作である。

タイトルの *Eyes Wide Shut* は、英語の常套句〝eyes wide open〟(目を大きく開いて)をもじったもの。「目を見開いて見る」と「目を閉じる」の2つの意味を持たせた言葉遊びだ。それでは、何を見て、何を見ないほうがいいのだろうか。

主演は撮影当時、実際の夫婦だったトム・クルーズとニコール・キッドマンの美男美女。ニューヨークで暮らす裕福な内科医のウィリアム(トム・クルーズ)と美しい妻アリス(ニコール・キッドマン)の愛と性をめぐる心の葛藤だ。

ある夜、妻から、他の男に性的欲求を感じたことを告白されたウィリアムは性の妄想に取りつかれ、深夜の街をさまよい歩く。旧友との偶然の出会いから、郊外の大豪邸で開かれる秘密の乱交パーティーに足を踏み入れるというストーリーだ。

撮影には、イギリスのロスチャイルド家の建物が使われた。この場面は、実際に秘密結社で行われている悪魔崇拝の性的儀式をもとに撮影された本物だ。

検閲であるシーンがカットされた。

主人公のウィリアムが正式な招待状もなくパーティーに紛れ込んだことがばれ、全員の前で裸になることを命じられる。その時、身代わりになる女性が現れ、主人公はピンチを救われる。ここで、彼女の顔の皮膚がはがされる残虐なシーンが撮影されていたという。

翌朝、主人公は自分のベッドに投げ込まれたマスクを見つける。それは、身代わりとなった女性の顔の皮膚で作られたマスクだったたという展開につながる。

恐ろしいことに、このカットされたシーンは「実話」だという。不可解なことに、監督のキューブリックは、この映画の試写会の5日後に急死している。

スタンリー・キューブリック監督の『アイズ　ワイド　シャット』（1999年）は、セレブの世界に蔓延（はびこ）る悪魔崇拝の儀式を告発している。キューブリックはこの映画の試写会の5日後に急死した

セレブの世界では、秘密のパーティーに誘われることがままあるという。しかし、急に超有名になった俳優程度では危険だ。そもそも闇の権力者たちと対等な家柄の生まれではないし、社会的地位も違う。身分違いなのだ。

うかつに誘いに乗ると、恐ろしい秘密を共有させられ、口外したら殺すと脅迫される。怖いけれども秘密を言ってしまいたいと、心の中で煩悶（はんもん）しているセレブはたくさんいるはずだ。

以前、メタ（旧Facebook）のCEO、マーク・ザッカーバーグが、フェイスブックに次のようなコメントを投稿していた。


多くの人間は、性的会議に参加したり、それを見たりすることで快感や充実感を得ているが、私はその後に小さい参加者からアドレノクロムを採取する様子を見るのが困難だと感じることがある。

しかし、アドレノクロムの摂取は、私がこれまでに携わった活動の中で最も楽しい人間の活動です。

ザッカーバーグは自分の経験をまるで楽しげに投稿している。「僕たちは勝ったのだから、もう隠れなくてもいい」と勘違いしているのかもしれない。私には、露骨に開き直っているように思える。

それでは、ザッカーバーグが漏（も）らした「アドレノクロムの摂取」とは何だろうか。それは、粛清された欧米の超エリートたちが秘匿（ひとく）する「子供を拷問して生贄（いけにえ）にする悪魔崇拝の儀式」にほかならない。

◆子どもを生贄にするチャバドの本部の騒動

2023年12月10日、チャバドのニューヨーク本部で異様な騒ぎが目撃された。

チャバドとは、ハザールマフィアの一派で、ユダヤ教を名乗るカルトの過激派集団のことだ。「世紀末戦争を勃発させて人類の9割を抹殺し、残りの人々を自分たちの奴隷にする」という狂信的思想を持ち、悪魔崇拝を信奉する。トランプ娘婿のジャレッド・

クシュナーも所属している。

その本部にニューヨーク警察が乗り込み、違法につくられた地下施設をコンクリートで封鎖しようとしたところ、教団の信者たちが抵抗して乱闘を始めた。

この異常な騒動の動画が世界に拡散され、大きな話題となった。地下施設の内部には、血で染まった子供用の椅子やマットレスなど衝撃的なものが映し出されていたからだ。

生贄を殺した後、自分の身を浄化するお風呂が見つかった。

情報筋の話では、その地下施設で多くの子供たちが拷問され、悪魔への生贄にされていたという。

私の元へアメリカ政府高官の内部告発者から恐ろしい資料が寄せられた。その資料には、施設で拷問されていた児童の詳細なデータが記載されていた。

施設に収容された子供たちは幼児期から思春期までの間、継続的に拷問を受けている。目的は、過度の恐怖やストレスを肉体的、精神的に与えることで、血中に放出される幾つかの成分を採取すること。

子供を拷問にかけると、強いストレスを受けて、アドレナリンよりも強力な「アドレ

チャバド・ルバヴィッツの本部にニューヨーク警察が乗り込み、違法につくられた地下施設を封鎖しようとしたところ、教団信者たちと乱闘の騒ぎになった。地下施設からは血で染まった子供用のマットレス等が見つかった（2023年12月10日）

https://rumble.com/v48lzmb-horrific-child-adrenochrome-market-found-in-nyc-jewish-tunnels-media-blacko.html

ノクロム」というホルモンを血中に大量に放出する。

またドーパミン（脳内の神経伝達物質で、快感や多幸感が得られる）やセロトニン（同じく脳内の神経伝達物質の1つで、精神の安定や幸福感が得られる）、そして死亡する直前には、脳内の松果腺でＤＭＴ（ジメチルトリプタミン）という幻覚物質が生成される。

子供に拷問をかけて、その血を飲み、松果体を食べてハイになるという儀式をしていたのだ。そして、それらの成分を、ハザールマフィアや欧米エリートなどが高額で買い取り、麻薬や若返りの薬として使っているというのだ。

ＦＢＩの統計によると、アメリカでは年間4万人もの子供が行方不明になって見つかっていない。バイデン政権になって、南米から来た8万5０００人の子供が行方不明になっている。また、ウクライナでは、6万人の子供が不可解な消え方をしているという。この子供たちは儀式で犠牲になっていると言われている。

情報筋によると、今回の騒動と動画の流出は「真っ当なユダヤ勢力」が「悪魔崇拝カルトのチャバド」を摘発するために仕掛けた工作の一環だったという。

ニューヨークのユダヤ人情報筋から、アルゼンチンのハビエル・ミレイ新大統領が、昨年末の当選直後にチャバドの本部を訪れ、「地下で子供を拷問し、性的快感に達してから、浄化の風呂に入った」という情報も寄せられている。

じつは欧米人にとって、子供を生贄にすることにそれほどの違和感はない。幼児を神にささげるシーンや言葉は聖書によく出てくる。

旧約聖書の「ルツ記」に題材をとった『砂漠の女王（*The Story of Ruth*）』（1960年公開）というハリウッド映画がある。

モアブ族の少女ルツは神への生贄として売られたが、度重なる危機を逃れて逃亡。心優しいユダヤ人の大地主と恋に落ちて結婚するというストーリーだ。おすすめの映画なので観ると参考になるだろう。

◆ハザールマフィアとは、いったい何者か

チャバド（Chabad）というのは、正式には「チャバド・ルバヴィッツ」と呼ばれるユダヤ・カルトグループのことだ。もともと、サバタイ・ツヴィ（1626－1676）

と、彼の生まれ代わりだと主張するフランク（1726－1791）がつくった一派で、ユダヤ人の間では、サバタイ派（サバティアン）・フランキスト（Sabbatean Frankist）とも呼ばれている。

サバタイ・ツヴィは、17世紀、トルコのユダヤ人で、自らメシア（救世主）だと名乗り100万人ぐらいの信者を集めた。

チャバドは、神の手でなく、自らの手で世紀末預言を実現しようとする。聖書の黙示録に出てくる2大大国、ゴグとマゴグの戦いが起きて、人類の9割が殺し合って死に、生き残った人たちを、自称「ユダヤ人」の奴隷、いわば人間家畜にするというカルト思想を持っている。自称「ユダヤ人」1人につき2800人の奴隷が付くという。

チャバドの視点で見ると、世紀末はゴグとマゴグの戦いだ。ウクライナ戦争でロシアとNATO軍、中東でイスラエルと近隣の中東諸国を戦わせ、第3次世界大戦を引き起こす世紀末計画を実行しようとしている。

もちろん、普通のユダヤ人は、自らの手で世紀末預言を実現することも、人間を家畜化するなどという思想も持ち合わせていない。「神様の仕事は神様にしかできない」の

メシアを自称して世紀末預言を実現しようとしたサバタイ・ツヴィ（1626－76）と、ツヴィの生まれ変わりだと主張したヤコブ・フランク（1726－91）

サバタイ・ツヴィ

ヤコブ・フランク

ハザール王国は今のウクライナ、カザフスタンのあたりにあった遊牧民国家

であり、とんでもないことだ。

私には母方にユダヤ人の血が入っている。だから言うことができる。チャバドの人たちを批判することは、「反ユダヤ主義」には当たらない。彼らはそもそもユダヤ教徒ではないからだ。

一般の良心的なユダヤ人にとって、彼らと一緒にされたら大迷惑だ。たとえて言うと、仏教とオウム真理教、キリスト教と統一教会のような関係だ。

私が、普段、ユダヤという言葉を使わずに、「ハザールマフィア」と名づけたのは、ユダヤ差別の批判を避けるためでもある。

チャバドの流れを遡（さかのぼ）ると、ハザール王国（紀元6－10世紀）に行きつく。ハザール王国の流れを受け継いだのが、ハザールマフィアだ。

ハザール王国は、今のウクライナ、カザフスタンのあたりに存在していた遊牧民国家だ。

おそらくトルコ系だろう。周辺のトルコ系の民族はイスラム教に改宗したのに、なぜかハザール王国だけはユダヤ教を取り入れ、自らユダヤ人となり、ユダヤ国家となった。

今のユダヤ人は、今のパレスチナにいたスファラディ系のユダヤ人と、このハザール王国から東方、スラブ地方に流れたアシュケナージ系がいる。

ハザール王国は、その北にいた白人をかき集めて中近東に奴隷として売っていた。奴隷商人の歴史だ。

ユダヤ人は一枚岩ではない。たとえば、東京の大久保には、日本人以外にもいろいろな外国人が住んでいる。韓国人や中国人もいれば、タイ、ベトナム、ネパール、インド、パキスタン、ペルー人もいる。あらゆる民族が同じ地域に住んでいる。

世界に1600万人いるユダヤ人も同じだ。日本人からするとどれも同じユダヤ人かもしれないが、実際は違う。多くの良心的なユダヤ人の中に、少数派のユダヤファシスト、ユダヤ優越主義、悪魔崇拝グループが紛れ込み、権力の上に立っている。彼らがユダヤ人による世界支配を目指しているのだ。一番の問題は、そのなかの悪魔崇拝のカルトグループだという認識が、今ようやく欧米で広まりつつある。

たとえば、日本人の中にヤクザがいるからといって、日本人全員がヤクザとされたらたまらない。イタリア人とイタリアマフィアとの関係もそうだろう。

一般のユダヤ人と問題を切り分けるためにも、私はこれまでなかった呼称としてハザールマフィアという言葉を使い出した。私の見立てでは、ユダヤ人のうち悪魔崇拝系のたちが悪いのはごく一部の集団だ。

◆見えてきたハザールマフィアの全体像

情報筋によると、現在、イスラエルでは「第3神殿建設」の準備が整いつつあるという。

ハザールマフィアにとって、第3神殿の建設は大患難時代(だいかんなん)（世界の終わり＝世紀末）が近づいていることを意味し、それに向けて神殿の完成時に必要な「赤い牝牛3頭」を焼くための施設もすでに完成している。祭司が神殿に入る前に、その灰で自分の身を清めなければならないのだという。

近日中にも、悪魔崇拝のハザールマフィアが「何かとんでもない事」をしでかすのではないかと世界で警戒が高まっている。

現在、イスラエルでは「第3神殿」（The 3rd Temple）の建設準備が整ったという。第3神殿の建設は「大患難時代」（世界の終わり）が近づいていることを意味し、まもなく世界でとんでもないことが起きると警戒が高まっている

第3神殿の完成模型

神殿の完成時に必要な「赤い牝牛」３頭を焼くための施設

今、ハザールマフィアは何を画策しているのだろうか。その前に、ハザールマフィアの全体像について簡単に解説しておこう。

映画の『十戒』（セシル・B・デミル監督、1956年製作）に、お金持ちで豪邸に住んでいるハイレベルなユダヤ人が登場する。

舞台は旧約聖書『出エジプト記』の世界のエジプト。モーセが奴隷状態だったユダヤの民を連れてエジプトを脱出、シナイ山で十戒を受けるというお話だ。

彼らは、ユダヤ人奴隷の上にいて食料札を配ったり、自由に女性を抱いたり、いい想いをしている。そのハイレベルなユダヤ人の上にファラオが存在する。ファラオはユダヤ人ではない。神殿の奥で、ユダヤ人にとって大罪とされた偶像崇拝を行ない、異教の邪神を拝んでいる……。このファラオの姿がハザールマフィアだ。

スイスの学者が多国籍企業の取り締まり名簿を分析して明らかになったことがある。9割の多国籍企業が約700人によって支配されているということだ。実際の多国籍企業の取締役の延べ人数はもっと多いのだが、名寄せすると700人になる。

現代で言えば、この700人がハザールマフィアの司令部であり、彼らが企業活動を通して世界経済を牛耳り、世界政治を動かしている。

その上の階級のエリート集団は「オクタゴン・グループ」と呼ばれていて、スイスに本部を置いていることが、私の長年の取材で見えてきた。本部のあるスイスのレマン湖周辺には、約40の国際機関や、180の各国外交常設使節団、400を超えるNGOが点在している。

このオクタゴン・グループは、ハザールマフィアの政治局や幹部会と言える上級機関だ。先述したダボス会議（世界経済フォーラム）を主宰するクラウス・シュワブもメンバーの1人となっている（母親がロスチャイルド家出身）。

彼らは、歴史的にエジプトのファラオにつながると自称している人たちだ。自分たちはエジプトのファラオの正式な後継者で、自分たちも神様だという発想を持つ。彼らの組織は、戦争担当、金融担当、宗教担当の大きく3つに分かれている。

ハザールマフィアの上層部は総じてヨーロッパの王族・貴族だ。ローマ貴族、オランダ王族、イギリス王族、ドイツ王族、スイス王族、イタリア王族、スペイン王族などで構成されている。

そもそもヨーロッパの王族の血筋は、旧約聖書に出てくるダビデ王につながるユダヤ王家（ライオンの紋章）、共和政ローマのカエサルが祖のローマ王族（鷹の紋章）に遡る。総じてダビデとカエサルの子孫の混血だ。

その中から、19世紀、英王室とつながるユダヤ系のロスチャイルド家が台頭し、金融の力で権力を振るってきた。

ハザールマフィアの地球温暖化派の最高決定機関は、イギリスに本部を置く「三百人委員会」と言われており、各王族たちに指令を出している。三百人委員会のトップは、これまでエリザベス2世だったが、死後、英王室以外の人物に代わっている。私とも連絡を取っているが、情報源の秘匿もあり、その人の身にも危険が及ぶので名前を言えない。

一方、今のアメリカのハザールマフィアは、同じくユダヤ系のロックフェラー一族だ。ロックフェラー家は、今のバイデン政権をはじめ、歴代の政権を操り、20世紀以降の世界を動かしてきた。外交問題評議会（ＣＦＲ）のメンバーがロックフェラー家のしもべとなり、政権内部で力を振るっている。

イルミナティ、フリーメーソンもハザールマフィアの一派だ。

イルミナティは、18世紀にドイツで、アダム・ヴァイスハウプト（1748－1830）が創始者だ。現在のイルミナティには、2種類のグループがいることがわかった。

1つは、私がグノーシス派イルミナティと呼んでいるグループの人たちだ。大元は古代ギリシアの数学者、ピタゴラス（BC582－496）が設立した秘密結社である。彼らは世襲制支配に反対し、完全に能力主義でメリトクラシー（能力主義）を信奉している。たとえば、アイザック・ニュートン（1642－1727）など、その時代を代表する天才をスカウトしている。

彼らは、自分たちグノーシス派イルミナティが、アメリカ独立もフランス革命も、ロシア革命も起こしたという。3つの革命の共通点は、王族・貴族が抹殺されたことだ。

彼らは実力主義なので軍事に強い。アメリカ軍には、グノーシス派イルミナティの人が多くいる。また、ジェフ・ベソスやイーロン・マスクもメンバーだと推察されている。

私もこのグループの人たちと接触があり、「9・11はグノーシス派イルミナティの罠だ」とグランドマスターと名乗る人物が教えてくれた。考え出したのは、ボビー・フィッシャーというチェスのチャンピオンだそうだ。

もう1つのグループは、P3フリーメーソンと呼ばれる人たちだ。バチカンの上にいて、常に世界の体制を監視している。

元はP2フリーメーソンで、黒太陽（ブラックサン）を崇拝し、自分たちはカエサルの血筋だと主張する。スイスが発祥のハプスブルク家が彼らに近いところにいる。フリーメーソンは、プロテスタントの教派のように、さまざまな流派に分かれていて一枚岩ではないので難解だ。

◆世紀末への妄信と人類の家畜化計画

ハザールマフィアの起源は、古代エジプトにいたヒクソス（ヒッタイト）という遊牧部族にたどり着くと私は見ている。ヒクソスはもともと古代アッシリアにいたインド・ヨーロッパ語系の部族と言われている。この部族がエジプトまで攻めて来て、エジプト中王朝を崩壊させた（紀元前1795年）。

このヒッタイトの人たちが崇拝していたのが、ヤギの顔をして二股(ふたまた)の尻尾を持った異形(いぎょう)の神様だ。彼らはこの神をバール神やモレク神、セト神と呼んでいる。このヒクソスの人たちが、他の民族を家畜化して管理するという悪魔の帝王学を持っていたと私は見ている。

自分たち以外の民族は家畜であり、自分たちが彼らを管理するだけでなく、殺して捌(さば)くのも当然の権利だと思っている。この発想が、今のハザールマフィアの「人類の家畜化」計画につながっているのだろう。ユダヤ人エリートを上級の管理職奴隷とし、その下には、一般家畜がいて、社畜奴隷、軍事奴隷もいる。なかには、まだ愛玩(あいがん)化されていない野生人間もいるにはいる。そのような世界観だ。

そして、トーラ（モーセ五書）に次ぐユダヤ人の精神的遺産、タルムード（モーセ五書に次ぐユダヤ人の精神的遺産）では、少女は3歳と1日を経れば結婚をすることができた。幼児性交が認められ、ユダヤ人でなければ、騙しても殺しても構わないなどとも書かれた律法(りっぽう)だ。

聖書に「サタンのシナゴーグ（集い、会堂）」という言葉が出てくる。

「見よ、サタンの集いに属して、自分はユダヤ人であると言う者たちには、こうしよう。実は、彼らはユダヤ人ではなく、偽っているのだ」（ヨハネの黙示録３－９）。

ユダヤ人のフリをしているが、本当はサタン（悪魔）の人たちのことだ。まさしく、今のハザールマフィア（サバタイ派フランキスト）である。

世界の一番上にいる人たちは、良心的な神様を信じる者ではなく、悪魔を崇拝している。

世界のトップは聖書の世紀末を妄信し、人類の家畜化を計画する悪魔崇拝のカルト集団、ハザールマフィアに乗っ取られた。だから、いつまで経っても世界各地でさまざまなトラブルが起きる。

彼らが戦争や革命を起こし、政治家や大富豪を殺し、歴史的な大きな自作自演のイベントを捏造（ねつぞう）してきた。人類史上最悪の出来事と言われる「ホロコースト」（１９３０～１９４０年代）もじつはハザールマフィアが起こした計略だ。

ナチスドイツを使って、ヨーロッパにいた約６００万人のユダヤ人を大量虐殺して追い払い、シオニストによってイスラエルの建国（１９４８年）を成功させた。ホロコーストは悪魔への生贄(いけにえ)だった。

ハザールマフィアの手先という点で、じつはナチスドイツもシオニストも同様だ。近年のウクライナ戦争やイスラエルによるガザでの大量虐殺もハザールマフィアの仕業だ。

しかし、ようやく、欧米超エリートであるハザールマフィアたちは、対抗する改革勢力によって次々に失脚させられ、粛清されつつある。

◆粛清された権力者と世界の権力構造

私が監修した『この世界を操る陰謀のシナリオ』（宝島社、2023年4月刊）に、「ベンジャミン・フルフォードが選ぶ『世界の黒幕』ベスト10」が紹介されている。これは2023年の初めの時点だが、挙げてみよう。

1位　習近平　中国国家主席
2位　ジョン・W・レイモンド　初代アメリカ宇宙軍作戦部長

3位　セルゲイ・ラブロフ　ロシア外務大臣
4位　チャールズ3世　イギリス国王
5位　フランシスコ　ローマ教皇
6位　ドナルド・トランプ　前アメリカ大統領
7位　ナレンドラ・モディ　インド首相
8位　オラフ・ショルツ　ドイツ首相
9位　レジェップ・エルドアン　トルコ大統領
10位　ダヴィド・ド・ロスチャイルド　ロスチャイルド・パリ家当主

これらの人物は意外だろうか。このランキングは権力者個人の順位ではなく、「背後にいる勢力」のパワーランキングである。現在、権力者の「影武者化」や「アイコン化」が進み、権力者本人がパワーを持つのではなく、背後にいる勢力の思惑（おもわく）によって権力者を演じている。

このうち、2024年の4月までに私が粛清されたと見ている権力者は、4位のチャールズ3世、5位のフランシスコ、10位のダヴィド・ド・ロスチャイルドである。いずれもハザールマフィア陣営だ。

私は「世界の黒幕」は、ハザールマフィア陣営と反ハザールマフィア陣営の対立関係にあると見立てている。「世界新体制」の構築を目指す改革勢力の反ハザール陣営が、ハザールマフィア陣営を粛清しつつある。ハザールマフィア陣営の凋落が著しくなった。

米ハザールマフィアは、米ハザールマフィアと欧州ハザールマフィアの2つに分かれる。

米ハザールマフィアは、絶対権力者だったデイヴィッド・ロックフェラーの後を継いだデイヴィッド・ロックフェラー・ジュニア、ロックフェラーの傀儡(かいらい)として政権を運営しているジョー・バイデン米大統領、謀略の実行者のビル・ゲイツ（マイクロソフト創業者）などがメンバーで、GAFA、5大メディア、米メジャー（巨大企業）、G7各国とNATOもこの陣営だ。謀略の司令官だったヴィクトリア・ヌーランドは粛清された。

欧州ハザールマフィアの権力者は、かなり表舞台から姿を消した。先に挙げたダヴィド・ド・ロスチャイルド、チャールズ3世、ジェイコブ・ロスチャイルド（ロンドン家前当主）、シュワブ（ダボス会議の主宰者）、フランシスコ（ローマ教皇）などだ。

現在、イスラエルのベンヤミン・ネタニヤフ首相が大量虐殺で世界を脅迫している。イルミナティ、P3フリーメーソン、イエズス会も陣営に入る。

対抗する反ハザールマフィアも、米軍愛国派と上海協力機構派の2つのグループに分かれる。

各国軍人が協力する米軍愛国派には、レイモンド米宇宙軍作戦部長をはじめ、ドナルド・トランプ前大統領、米軍と密接な関係にあるイーロン・マスク(テスラ創業者)などがいる。

上海協力機構グループは「脱西側支配」で団結する。率いるのは、反ハザールマフィア陣営の絶対皇帝、習近平中国国家主席だ。ロシアでは、ロシア正教をバックに政権を掌握するラブロフ外務大臣、ウラジーミル・プーチン大統領、インドのモディ首相、トルコのエルドアン首相も属している。

この2グループの周囲に、中ロとの関係を深めているショルツ首相や中東、アフリカ、中南米、東南アジア諸国の非G7がいる。

これが、私の長年の取材によって見えてきた世界の権力構造である。

◆空中分解したハザールマフィアの世界制覇計画

欧米の超エリート、私が言うところのハザールマフィアの失墜(しっつい)で、世界は激しく変わりつつある。

大きく言うと、数百年前からハザールマフィアが計画していたロシア潰し、中国潰し、その先にある世界制覇という計画が失敗しつつある。

欧米の経済運営は、一部の血族が中央銀行と大手企業を独占している。

最近のデータによると、ブラックロック、バンガード・グループ、ステート・ストリートの大手投資運用会社3社が、アメリカの大手上場企業500の88%の筆頭株主だということがわかった。

ハザールの血を引くロスチャイルド家やロックフェラー家、英国王室、ヨーロッパ王室などが、世界の大手企業を支配し、各国の中央銀行の持ち主でもある。

一見、うまくいっているように見えるが、そうではない。ハザールマフィアたちが一掃される日が着々と近づいている。

世界制覇をもくろむ彼らの野望を阻んでいるのは、中国の台頭だ。

1978年、当時、副主席だった鄧小平が来日し、戦後、2ケタの高度経済成長を経て1980年代まで成功した日本の経済運営を学んで帰った。WTO（世界貿易機関）に加盟した2000年代以降の中国の発展は目覚ましい。

中国は、2014年に、購買力平価ベースのGDPでアメリカを抜き、世界一の経済大国となった。2022年は、中国30兆3371億ドル、アメリカ25兆4397億ドルで差は開いている。

ハザールマフィアのもう1つの野望、人類を奴隷化し、家畜化する計画が失敗した理由は、有色人種、とくにインドやアフリカ、中近東の人たちを洗脳しきれなかったことだ。

2001年からのブッシュ（子）政権以降、エボラウイルスや鳥インフルエンザ、SARS、MERSなどの生物兵器を世界各地に次々にまいて、皆殺しにしようとしたが、できなかった。「餓死計画」もうまくいっていない。さらに全面核戦争を起こす計画を何度も試したが、それも失敗に終わった。

最後の悪あがきが、2019年からの新型コロナウイルス感染症（COVID－19）だった。新型コロナウイルスでも、ワクチンでも、彼らが狙ったほどは死ななかった。

大きな流れでは、一神教による世界制覇キャンペーンが失敗した。

もう少しスケールを小さくすると、300、400年間続いた欧米の世界支配が終わろうとしている。もっと短いタームでは、戦後のアメリカを中心とした世界秩序が終焉したのだ。

第2章

ウクライナ戦争、イスラエル・ハマス戦争の真実

――メディアが伝えないハザールマフィアの悪あがき

◆「プーチンインタビュー」が語るウクライナ戦争の真相

2024年2月9日、ロシア大統領府のホームページ上に、タッカー・カールソンによるプーチン大統領の独占インタビューが公開された。カールソンはFOXニュースの元司会者として知られる著名なジャーナリストで、収録されたのは、2月6日、モスクワのクレムリンで、公開されたのは2時間だが、実際は8時間に及んだという。

プーチンがアメリカ人記者の単独インタビューを受けたのは、2022年2月24日のウクライナ侵攻後、初めてのこと。カールソンは、ウクライナ戦争の真意やロシアとアメリカ、NATOとの関係をどのようにとらえているか、プーチンの国家観や宗教観、価値観を聞き出した。

公開1週間後、このインタビュー動画の再生回数は、なんと10億回を突破。世界の関心を一気に集める歴史的な記録となっている。

2024年2月6日、FOXニュースの元司会者タッカー・カールソンによるプーチン大統領独占インタビューは、世界中で10億回以上が再生された

8時間に及んだこのインタビューで、実際に公開されたのは2時間だけだった。
冒頭、プーチンは、カールソンに紙に印刷された資料を渡している。そこに何が書かれていたのか、実ははっきりしていない。
「ハザールマフィアの粛清を一緒にしようじゃないか」というプーチンからの呼びかけ（打診）がそこに入っていた可能性は高いと筆者は推測している。

プーチンがインタビューで語った内容は、私がこれまで主張して来たことを公に裏づけるものだった。たいへん貴重な情報が山ほどある。

冒頭、プーチンは、いきなり1200年前に遡るロシアの歴史を約30分語り始めた。

プーチン　ロシア国家が中央集権化されたのは、862年にノヴゴロド人（国の北にノヴゴロドの都市がある）がスカンジナビアのヴァリャーグ人（スウェーデン・ヴァイキング）からリューリク王子（830－879）を招いて統治者にした時で、この年がロシア国家が創設された年と考えられています。

1862年、ロシアは建国1000周年を祝い、ノヴゴロドには建国1000周年を記念した記念碑があります。

ロシア最初の国家は、862年、ノルマン人のルーシ族が、北方のノヴゴロドの地に建てたとされる。882年、キエフ公国となり、10世紀末に登場したウラディミル大帝で最盛期を迎えた。998年にギリシア正教の洗礼を受け、中央集権的なロシアが形成されたという。

その後、分裂国家となったロシアにモンゴル軍が侵略、15世紀後半まで苦しむことになる。これを「タタールの軛(くびき)」という。タタールの軛から自由になったのは、イヴァン3世の頃で、1480年、モスクワ大公国が統一ロシア国家となった。

1613年にロマノフ家によるロマノフ朝が成立。この後、1917年まで300年もロマノフ家がロシアに君臨した。

プーチンはインタビューで「ハザール王国」の名を口にしていない。9世紀後半、ロシア最初の国家、キエフ公国の王様たちが周辺国と協力して潰した国がハザール王国(6~10世紀)だった。

ハザールマフィアはロシアに対して歴史的な恨(うら)みを持っている。約1200年前、ロシアにハザール王国を潰され、西ヨーロッパをはじめ世界を逃げ回る羽目になった。ハザールマフィアの「ハザール王国復活計画」の大元には、ロシアに対する反感と復讐があるのだ。

一方、プーチンはウクライナを人工国家だと言う。

プーチン　第２次世界大戦後、ウクライナは、戦前にポーランドに属していた土地に加えて、以前はハンガリーとルーマニアに属していた土地の一部を受け取りました。今日のウクライナ西部地域です。

ルーマニアとハンガリーの土地の一部が取り上げられ、それがウクライナに与えられ、それらの土地はいまだにウクライナの一部であり続けています。ですから、この意味で、ウクライナはスターリンの意志で形作られた人工国家であると断言するに十分な理由があります。

ウクライナ地方は、もともとキエフ公国に帰属していたが、13世紀にリトアニア＝ポーランド大国の一部となった。その後、17世紀、ロシアとポーランド・リトアニア共和国との戦争（１６５４‐１６６７年）が起き、和平交渉によって、キエフを含むドニエプル川左岸（東岸）全域はロシアに返還され、ドニエプル川右岸（西岸）全域はポーランドのままになった、とプーチンは説明する。

1917年、ロシア革命で、ウクライナ共和国（ウクライナ・ソビエト社会主義共和国）が成立。1930年代、スターリンによってロシア化が進められた。第2次世界大戦（1939-1945年）後、ヒトラーに協力したポーランドから、ポーランド領となっていたウクライナ西部地域をすべて取り返した。

「ウクライナは、ロシア革命後、なぜかわからない理由で、ロシアの中に作られ、なぜかロシアから独立する権利を与えられた」とプーチンは言う。

しかし、歴史地図を見れば、一目瞭然だ。それは、まさしくハザール王国の領土だからだ。1200年に渡って続く「ハザール王国復活計画」にほかならない。

カール・マルクス（1818-1883）をはじめ、共産主義の指導者はみんなユダヤ人だった。革命当初、レーニン内閣の半分以上がユダヤ人だったと言われている。この時、弾圧されたのはキリスト教徒だ。

ユダヤ人のゼレンスキーと、キリスト教（ロシア正教）徒のプーチン。ウクライナ戦争の本質は、1200年間に及ぶハザールとロシアとの民族間戦争である。今がその最終形態だ。

◆謀(はか)られた「新しい冷戦」とロシアの弱体化

カールソンのインタビューで、私がもっとも注目している箇所がある。それは、2007年、プーチンとジョージ・H・W・ブッシュ（父）米大統領（在任1989－1993年）が、米メーン州のブッシュ大統領の別荘で会談した時の話だ。

プーチン　私たちは、米国がこのようなことをしない（注：ミサイル防衛システム、ABMを作らない）よう説得するために長い時間を費やしました。さらに、ブッシュ・ジュニアの父親であるブッシュ・シニアに招待され、海に面した彼の家を訪問した後、私はブッシュ大統領と彼のチームと非常に真剣に話し合いました。

私は、米国、ロシア、欧州が共同でミサイル防衛システムを構築することを提案しました。もし合衆国が一方的に構築してしまうと、私たちの安全を脅かすと思ったからです。合衆国は公式には、それはイランからのミサイルの脅威に対抗するものだと述べていましたがね。それがミサイル防衛システム配備の正当化でした。

私は、ロシア、米国、ヨーロッパが協力し合うことを提案しました。とてもおもしろい提案だと言われましたよ。「本気ですか？」とも聞かれました。私は「もちろんです」と答えました。

今回のプーチンのインタビューで確認が取れたのは、このとき、プーチンとブッシュ（父）が、ミサイル防衛システムの共同開発に同意したことだ。その標的は中国しかない。

私がＭＩ６筋から得た情報では、この時、ブッシュはプーチンに「新しい冷戦」を始める提案をしたという。

「その間、ロシアは中国の友達のふりをしてほしい。アメリカは、ロシアとの新しい冷戦を理由に軍事費を増やし、中国との戦争の準備をするから」と。

そして、最後にみんなで中国を一斉に攻撃する。中国を５つの国に分裂させて、２度と脅威とならないようにする計画を持ちかけたという。

その後、何が起きたのか。2018年にブッシュ（父）が殺され、ブッシュの裏にいたアメリカのハザールマフィアの勢力はついに動き出した。

プーチンと交わした対空ミサイルなどの防衛協力をするという約束は、簡単に裏切られた。中国を攻撃する前に、ウクライナを使ってロシア潰しの計画を実行し始めたのだ。ロシアをいくつかの小さな国に分裂させ、弱体化する。そして、そのロシアを先兵に各国で中国を一斉攻撃するという順番があった。ロシアも中国も脅威にならないように、大国として存続させないつもりだった。

自分たちの支配は絶対に残す。そのハザールマフィアの遠大な謀略もロシアの勝利によって頓挫（とんざ）したと私は見ている。ウクライナ戦争は、ロシア潰しのためだったが、見事に失敗した。

またプーチンは、ロシアが、ビル・クリントン政権時代（1993-2001年）にNATOに加盟しようとしたことも明言した。これも、これまでに私が匿名情報をもとに書籍に書いてきたことだ。現役のプーチン大統領が公に確認した意義は大きい。

プーチン　私は2000年に大統領になりました。ユーゴスラビア問題は終わったが、関係修復に努めるべきだ、と私は思いました。ロシアが一度は通ろうとしたその同じ扉を再び我々に開かせてくれ、と。さらに、私はそれを公に言いました。

今でもよく覚えています。ここクレムリンで、退任するビル・クリントン大統領との会談でした。このすぐ隣の部屋で、私はクリントンに「ビル、もしロシアがNATO加盟を求めたら、それは実現すると思いますか？」と尋ねました。

突然、彼はこう言いました。「おもしろい、そう思うよ」

しかし、夕方、夕食をとったとき、彼は「あのね、僕のチームと話したんだけど、いやいや、今は無理だよ」と言いました。

その後、ロシアがNATOに加盟するのは阻まれた。インタビューの最後でプーチンは、こんな小話を披露した。

プーチン　戦場では戦闘遭遇があります。ここに具体例があります。ウクライナの兵士が包囲されています。これは実際の戦闘からの例です。私たちの兵士は彼らに叫びます。「チャンスはありません！　身を委ねよ！　出て来い。お前は生きている！」

突然、ウクライナ兵はそこから完璧なロシア語で、「ロシア人は降伏しない！」と叫び、全員が死んだ。彼らはまだロシア人だと感じています。

これはプーチン一流の勝利宣言だろう。プーチンは、ハザールやハザール王国の名をわざと隠し、カールソンにメッセージを託した。

インタビューで、カールソンは、紙に印刷された資料をプーチンから手渡された。本当の秘密はデジタルではなく、アナログの紙でしか伝えない。いったい、そこに何が書かれていたのか。

「ハザールマフィアの粛清、退治をしようじゃないか」という打診だったのではないか。

実際、インタビューが行われた1か月後の3月5日、ゼレンスキー大統領を操っていたヴィクトリア・ヌーランド米国務次官の辞任が発表された。このことと無縁だとはとても思えない。

◆ヌーランドが首謀した「マイダン革命」

2024年3月、ハザールマフィアの計画は、ヌーランドの辞任（私は処刑されたと見ている）で頓挫（とんざ）が裏で決まった。

もともと、ロシアとウクライナとの境界は、北から南の黒海に注ぐドニエプル川だという合意があった。

18世紀末、プロイセンのフリードリヒ大王（フリードリヒ2世）の時代、プロイセンとロシア（エカテリーナ2世）、オーストリア（ヨーゼフ2世）がポーランド王国を3度に渡って分割し、消滅させた。

この時、ドニエプル川の東側がロシアに割譲され、ウクライナ東部はロシア、西部はオーストリアの支配が確定した。西ヨーロッパと東ヨーロッパの新しい境ができたのである。

当然、ロシア側はロシア民族でロシア語を話し、ロシア正教徒だ。つまり、今のウクライナでの戦闘は、ロシア領域内での戦いと言える。

2014年2月、ロシア潰しの計画、「マイダン革命」が起きた。クーデターを扇動したのは、当時、バラク・オバマ政権（2009-2017年）下で国務次官補だったヴィクトリア・ヌーランドである。

ヌーランドは、親露政権を倒して親欧米政権を樹立することに奔走した。ウクライナのマイダン革命には、背後にアメリカが関与していた。

ウクライナの首都キーウにある「独立広場（マイダン）」で反政府の大規模デモが起き、親露派のヴィクトル・ヤヌコーヴィチ政権が崩壊した。これ以降、ウクライナの親欧米路線が決定的となった。

私は騒乱が起きたマイダン広場に居合わせたロシア人に取材したことがある。

突然、何台かのバスが広場に乗り付けたそうだ。乗っていたのは、アメリカ国務省のヌーランド次官補やジョン・マケイン上院議員（当時）などネオコンの一派で、バスには、100ドル札がびっしりと積まれていたようだ。

彼女らは、マイダン広場に立てたテントで、デモに参加する人たちに1人50ドルを払って人集めを始めた。若者やホームレスなど誰かまわず、ドル札を配り始めたのだ。当時のウクライナでの50ドルは、日本の感覚で言えば5万円だ。

配ったのはドル札だけでない。さまざまな違法なドラッグ、麻薬も「あのテントに行って、好きなだけ持っていってくれ」とばらまいた。金もクスリも、「デモをやれ」と呼びかけた時は参加するのが条件だった。デモへの参加者は爆発的に増えていく。抗議デモとは名ばかりで、実質暴動だ。当然、機動隊とデモ隊で激しい衝突が起きた。

その時、どちらのグループにも属さない一団の狙撃手が現れ、手当たり次第に射殺し始めたという。それを機に機動隊とデモ隊の間で本当の殺し合いが始まった。双方の犠牲者は100人に及んでおり、多くの目撃証言がある。

大統領だったヤヌコーヴィチは、裏で賄賂(わいろ)をもらっていて、すぐにキエフ(キーウ)から逃亡し、マイダン革命は終結した。

もともとロシアとウクライナは同じ民族だ。その後、ウクライナでは、親米政権のポロシェンコ政権が成立。ロシアを嫌いになる手の込んだ教育洗脳と軍事武装化キャンペーンが行われた。ウクライナはロシア潰しの基地に仕立てられたのだ。

一方、ロシアはソ連崩壊後、いわゆる民主主義国家のグループに入ろうと、NATOへの参加を希望するが、蹴られてしまった。ウクライナとロシアには隠れた歴史がある。NATOへの参加を蹴られて以降、ロシアは長期に渡って軍事的な準備をした。時が来るのを待っていた。

ウクライナ戦争の発端は、2022年1月、中央アジアのカザフスタンで起きた政治騒乱＝クーデター未遂事件だ。2万人ぐらいのカザフ語を話せない「カザフ人」と称する人たちが起こし、前の大統領だったナザルバエフ政権を倒そうとした。

2012年のマイダン革命と同じく、民主化を装ったカラー革命を起こそうとした。それをロシアは見事に潰した。

その勢いに乗り、ロシアのプーチン大統領は、2月24日、「ドネツク人民共和国」と「ルガンスク人民共和国」の要請に応じ、特別軍事活動を行うと宣言。ロシアのウクライナ侵攻が始まった。プーチンはハザールマフィアの挑発に乗ったのだ。

◆ロシア勝利の裏に隠された米軍との軍事同盟

２０２２年2月、ロシア軍は、ウクライナの北部、東部、南部の3方向からウクライナ侵攻を開始した。反攻したウクライナ軍は北部を奪還し、東部のマリウポリや北東部のハリキウでウクライナ軍とロシア軍の激しい攻防戦が繰り広げられた。

半年後の9月30日、プーチン大統領は、ウクライナ東部・南部4州（ドネツク州、ルガンスク州、ザポリージャ州、ヘルソン州）の併合を宣言。その後、２０２３年6月から始まったウクライナ軍の「反転攻勢」はハザールマフィアの息のかかった西側マスコミのプロパガンダに過ぎないから、掛け声だけのカラ元気にすぎず、当然成果が上がらないのだが、一方でウクライナ軍の人命を顧みないゲリラ的抵抗が続き、戦況は膠着（こうちゃく）状態となった。

２０２４年2月、ウクライナは東部の要衝アウディイウカから部隊を撤退。ロシア国防相は、この地を完全に掌握したと発表した。

ロシアにとって、このアウディイウカ占領は戦略的かつ象徴的な勝利だった。州都ドネツクの守備を強化するとともに、ウクライナが維持する地域へのさらなる侵攻の道を切り開くことにもなる。

アウディイウカは、ウクライナが9年がかりで建設した大規模な要塞都市である。ウクライナにとっても重要な砦だった。陥落は致命的だ。

ロシアのFSB（連邦保安庁）筋によると、米軍から「アメリカは介入しない」という確約をもらっているという。これからロシアはウクライナ国内のすべてのナチス（＝ゼレンスキー勢力）を抹殺するつもりだと同筋は伝えている。ロシアがウクライナに全面攻勢に出ているのは、「米軍との軍事同盟」があるからだ。

侵攻から2年、米英を中心に対戦車ミサイルや榴弾砲などの最新兵器をウクライナへ供与しても、ロシア潰しはできなかった。結局、ゼレンスキーに実行させ、ロシアに復讐するウクライナ戦争は大失敗したのだ。ハザールマフィアが、数百年前から計画していた「ハザール王国復活計画」は空中分解した。

もう1つの失敗は、アメリカ軍がハザールマフィア離れをしてしまったことだ。ロシアとの不介入の確約により、アメリカ軍はウクライナ戦争に参加していない。アメリカの軍事支援は、すべて兵器や装備、傭兵などお金で買えるものだ。すべて中古品かもしれず、最先端の武器は提供していないはずだ。

もはやアメリカは一枚岩ではない。軍がもう政界、財界の言うことを聞かなくなった。アメリカ軍がハザールマフィアの対抗勢力となっている。

ポーランドの元軍のトップは、「ウクライナでは100万人単位で死んでいる。もう完全に敗北している」と発言した。

ウクライナは、イスラエルと同様、アメリカからの支援金が得られず、経済的にも困窮状態に陥っている。また、西ヨーロッパでは農家による抗議デモが激化し、欧州向けのウクライナ産農作物の輸出が止まっている苦しい状況だ。

◆ハマスの奇襲攻撃はイスラエルの自作自演

今、ハザールマフィアにとって、イスラエルによるパレスチナのガザ地区への侵攻はウクライナ戦争に続く大きな「イベント」の失敗となっている。

２０２３年10月７日、イスラエルは、パレスチナのイスラム武装組織、ハマスから「奇襲攻撃」を受けた。ハマスは、パレスチナ自治区ガザ地区を実効支配するスンニ派のイスラム組織だ。イスラエルに１２００人の死者が出たほか、２４０人を人質に取られたという。

世界の主要メディアは伝えていないが、このハマスによる奇襲攻撃は、イスラエルのネタニヤフ首相の「自作自演」だった。このことは、世界の政府関係者や軍、情報筋の間では常識となっている。

まず、今のイスラエル・パレスチナ騒動が「かなり前から計画されていた自作自演テロ」であることは間違いない。これには多くの証拠がある。

ロスチャイルド一族の機関誌『エコノミスト』（２０１２年12月22日発売号）のカバー画像には、10年以上前からまるでそうなることを知っていたかのように「ハマスとネタニヤフがパラグライダーで激しく衝突する様子」が描かれている。

実際、マスコミでは、「10月７日、ハマスがパラグライダーを使用しての奇襲攻撃で

ハマスの奇襲攻撃はイスラエルの自作自演

2023年10月7日のハマスのイスラエルへの奇襲攻撃は、実はイスラエルの自作自演である。「悪魔の息子」の本名を持つネタニヤフが第3次世界大戦を起こそうとして念入りに計画した。
12年前の『エコノミスト』誌の表紙画像に使われた上の絵には、10年以上前からまるでそうなることを知っていたかのように「ハマスとネタニヤフがパラグライダーで衝突する様子」が描かれている。
今回の紛争がかなり前から計画されていたことは間違いない。

イスラエルの国境を突破した」と報じられており、しかもパラグライダーが実戦で使用されるのは知られている限り、今回が世界で初めてだという。殺されたイスラエル人のほとんどは、このパラグライダー部隊の戦闘員によってだった。

何より9月30日以降、エジプトのカメル情報大臣が自らネタニヤフに電話し、「ガザ地区で何か大きな事が計画されている」と再三にわたり警戒を呼びかけていたとエジプト当局がＡＰ通信に明かしている。

また、ＣＩＡも10月５日に同じ警告をイスラエルに発している。しかし、ネタニヤフは何の行動も起こさなかった。その「何か大きな事」を自分たちが計画していたのだから当然だろう。

今回、自作自演というのは世界で常識になっている。ネタニヤフが10月７日の自作自演で自国民を殺してハマスのせいにしたのだ。

このタイミングでハザールマフィアが自作自演テロを起こしたもう１つの理由は、ロスチャイルド一族が持っていた「イスラエルの所有権」が、２０２３年10月31日で満期になり、更新されなかったからだ。

イスラエルは今、新しい所有者により英国ロンドンで「会社」として新たに登録されている。つまり「もう自分たちの所有物ではなくなったから、すべて破壊して本拠地をイスラエルの国民ごとウクライナに移してしまおう」としたわけだ。

情報筋によると、騒動の始まりはイスラエル側が自国民とアラブ人の双方を殺し始めたこと。それをパレスチナのせいにしてネタニヤフが大規模攻撃を開始。さらにガザ地区で住民の大量虐殺（ジェノサイド）を繰り返し、子どもが殺された画像など、恐怖や憎しみを煽るような情報を世界に向けて大量に流し始めた。その中には、CGやフェイクも多いことがわかっている。

ガザ地区の保健当局は、2月末の時点で、イスラエル軍とイスラム組織ハマスの戦闘が始まってからの死者が3万人を超えたことを明らかにした。戦闘は、当初のガザ地区北部より最南部のラファへ移り、空爆と地上部隊によるハマス掃討作戦が進行中だ。

イスラエル軍がハマスの壊滅を掲げ、激しい攻撃を続ける中、住民の犠牲に歯止めがかからない状況となっている。

ロシアのFSB筋をはじめ、多くの情報筋が彼らの最終目標は、「中近東の国々が、大きな〝対イスラエル戦争〟を起こすことだ」と伝えている。

つまり、ハザール王国を復活させるために、第3次世界大戦を勃発させることだ。そうなれば、イスラエルで暮らすユダヤ人たちを手っ取り早くウクライナに移住させることができるからだ。ウクライナこそ、古（いにしえ）の時代ハザール王国が興隆していた地であり、ハザールマフィアの故郷だ。

同筋によると、ウクライナ戦争が勃発して以降、350万人のウクライナ人が西ヨーロッパへ、250万人がロシアへと脱出している。さらには50万人余りが虐殺により命を奪われているため、イスラエル人が移住できるだけのスペースは現時点で十分に確保されているというわけだ。

しかし、この計画がハザールマフィアらの思惑（おもわく）通りに進んでいない。エジプトやヨルダン、サウジアラビアなど、イスラエルの周辺アラブ国は彼らの自作自演に騙されていないし、第3次世界大戦を始める気などさらさらない。そうなると当然、ユダヤ人をイスラエルからウクライナに移住させる理由もなくなるからだ。

世界の多くの国々がイスラエルによる自作自演の「9・11」だと気づいている。一部、イランとの交戦も始まったが、イスラエル周辺の各国がイスラエルの挑発に乗せられて、中東全域を巻き込む軍事行動を起こすという事態には至っていない。

今、イギリス、アメリカ、カナダの特殊部隊がハザールマフィア狩りに動いている。ネタニヤフの命もそう長くはないだろう。

◆ネタニヤフ首相の正体はハザールマフィアの将軍

ネタニヤフ首相はイスラエル国民に支持されているのだろうか。戦闘の開始当時、日本のニュースでは、イスラエルの国民が「ネタニヤフは人質をまだ奪回してないのに弱腰だ」と叩いている報道があふれていた。

しかし、現地のイスラエル人はネタニヤフの言うことをまったく信用していない。現地の大手新聞エルサレム・ポストによると、2023年10月時点での世論調査でも、イスラエル国民の86%が「イスラエルとガザで起きている悲劇は政府の責任であり、ネタニヤフは辞任すべき」と回答している。ネタニヤフの支持率は15%もない。

ネタニヤフは評判の悪い男だ。右派政党リクードの党首として、1996年以降、たびたび首相の座についてきた。その間、政権内外でさまざまな汚職、横領事件に関与している。2020年には、収賄などの容疑でイスラエル検察当局から正式起訴され、裁判が続いていた。

2020年12月に発足した第6次ネタニヤフ政権では、裁判所が政府決定を覆すことを禁止するなど司法の権限を弱める改革を押し進めた。司法よりも政権のほうが強くなろうとしたのだ。ネタニヤフへの批判はさらに高まり、イスラエル国内の各地で市民による大規模な抗議運動が起きていた。

現在も激しいデモがネタニヤフの自宅や国会議事堂の周辺で繰り広げられている。軍との関係もうまくいっていない。

地上部隊でパレスチナ人を虐殺しているのは、いつの間にかイスラエルの刑務所から出された終身刑を受けた人たちだ。ネタニヤフとつるんで犯罪行為を行なっている。イスラエルは悪質な右翼組織、ハザールマフィアに乗っ取られた。

ネタニヤフの正体はハザールマフィアの中心人物、上級幹部であり、悪魔崇拝派閥の

「ネタニヤフ首相は悪魔崇拝者である」

ネタニヤフの支持率は15%もない。イスラエル国民の86%が「今イスラエルとガザで起きている悲劇は政府の責任であり、ネタニヤフは辞任すべき」と回答している。

「ネタニヤフは悪魔崇拝者である」という情報も広くイスラエル国内で知れ渡りつつある。もともと、ネタニヤフの父親ベン＝シオン・ネタニヤフは旧ロシア帝国ポーランド領生まれで、本名をミレイコフスキー（Mileikovsky）という。Mileikはmolochと同じでsatan（サタン）の意味だ。つまりミレイコフスキーは「悪魔の息子」という意味だという。

ベン＝シオン・ネタニヤフ

将軍の1人である。

最近、「ネタニヤフ首相は悪魔崇拝者である」という情報がイスラエル国内でも広く知れ渡り始めている。ベンヤミン・ネタニヤフの父親、ベン＝シオン・ネタニヤフは旧ロシア帝国ポーランド領ワルシャワ生まれで、本名（ロシア姓）をミレイコフスキー（Mileikovsky）という。一家は祖父の代から熱心なシオニスト運動家で1920年にパレスチナへ移住し、エルサレムに入植している。

イスラエル諜報機関のモサド筋によると、mileik は moloch ＝ satan（モレク＝サタン）を指し、Mileikovsky という名は〝悪魔の息子〟という意味なのだという。

モレク神（別名バアル神）は雷や稲妻の神様で、そこから天気や豊穣の神様だと言われている。古代エジプト中王朝に攻め入って滅ぼしたヒクソス（後のヒッタイト）の神で、彼らは子供を生贄（いけにえ）にする儀式をしていた。フェニキア人が作った古代カルタゴもこの宗教だった。

このモレク神を信奉する人たちは、旧約聖書の時代から、ユダヤ人の敵とされていて、ユダヤ人と激しく争ったという。

問題は、イスラエルのユダヤ人ではなく、悪魔崇拝をしている人たちだ。このことがようやく理解されてきた。

ちなみに、私もユダヤ人だが、私の先祖はどちらかというと無神論者に近い。イスラエルには、かつてのゲットー（ghetto）のように、良心的な神を信じているユダヤ人と、ユダヤ人を装い悪魔崇拝をするカルト集団が同じ所に住まわされている。

今、イスラエルのユダヤ社会は内戦状況だ。従来のユダヤ人 対 悪魔崇拝のユダヤ人の決裂が起きている。ユダヤ社会は一枚岩ではなくなった。

ハザールマフィアと敵対しているパレスチナのアラブ人は、大元はユダヤ人だ。パレスチナのガザ地区は、第1次世界大戦以降、オスマン帝国を退けたイギリスが国際連盟の承認の下、委任統治領として占領した。そのオスマン帝国は、1517年からの約400年間、ナポレオン・ボナパルトの一時的な占領を除き、かの地を支配下に置いた。オスマン帝国のユダヤ州だったのだ。

ユダヤ（ギリシア語ではジュディア Judaea）はパレスチナ南部、エルサレムを中心としたユダ王国の地で、バビロンに捕囚となったユダヤ人が前538年に帰還した地だった。

ユダヤ人とは、古代イスラエルのユダヤ地方を起源とする民族で、ユダヤ教を信仰する人々を指す。また、ユダヤ人の血を引いている場合もユダヤ人と言われる。ユダヤ人のことを英語でジュウ（jew）というが、その語源はジュディアだ。

そもそもパレスチナの人たちは、太古よりジュディアの地に住んでいたので、ユダヤ人と言われても齟齬（そご）がなかった。ところが、7世紀以降、イスラム帝国がパレスチナを占領すると、その地の人々はイスラム教に改宗した。

イスラム教は無理やり改宗させないけれども、改宗しないと税金が高い。みんな税金を払いたくないから改宗をした。

その際、ジュディア（ユダヤ）のままではまずいので、ローマ時代に使われ、古代パレスチナの民族、ペリシテ人（Philistines）に由来するパレスチナ人と名乗るようになった。

別の民族に見せかけるために、わざと違う名前を使い出したのだ。そもそもパレスチナ人はイスラエルと同じセム語族のユダヤ人であるから、ややこしい。

日本のことをニホンと言おうが、ジャパンと言おうが同じで、日本であることに変わりはない。

◆起こさせてもらえない第3次世界大戦

本来、イスラエルに対して周りの国が攻撃を仕掛けて、そこで大きな中東戦争を勃発させるのが、ハザールマフィアの第1のストーリーだった。

中近東で戦争が起きると、第3次世界大戦につながる。イランやトルコ、エジプトなど周辺各国もそれがわかっているから、起こさせてもらえない。

ヘンリー・キッシンジャーが死んだことも大きいと私は考えている。ロックフェラー家の意を受けたキッシンジャーは悪い男だった。生前、70人ぐらいの指導者を殺害し、各国の政府や軍、情報筋から恐れられた。

10月7日に起きたことは、イスラエルとハマスの自作自演だ。ハマスに悪役を演じさせたのもハザールマフィアだ。それでは、このイスラエル－ハマス戦争にどのような解決法があるのだろうか。

国連をはじめ世界の主流は、パレスチナ人とイスラエル人の国を共存させる「2国家共存」だ。

もう1つの案は、パレスチナの独立国家は無理だから、パレスチナ人にイスラエル人と同じ権利を与え、イスラエルに統合することだ。そもそもパレスチナ人はユダヤ人だし、その人たちに普通のユダヤ人並みの権限を与える。パレスチナをイスラエル国民として迎え入れて、和平をやろうとしているグループがいる。

イスラエルと国交正常化したいサウジアラビアがそういう考えを持っている。

それをどうしても嫌だと言うのが、ネタニヤフのグループだ。アラブ人を自称する人たちがイスラエルに入れば、ユダヤ人が過半数ではなくなる。

ガザ地区にいる400万人のパレスチナ人のうち半分、少なくとも200万人ぐらい殺してからでないと、ユダヤ人は過半数維持できない。殺すか追い払うかで、ユダヤ人だけの国をつくる。そういう悪魔的な人たちがガザ地区で大量虐殺をしている。

親イスラエル国家のアメリカでも、イスラエル軍によるパレスチナ自治区ガザ地区での軍事行動などをめぐり、ネタニヤフ政権に対する批判が強まっている。

3月、米民主党の上院トップ、チャック・シューマー上院議員は、「こんなことをしたら、イスラエルの存在自体が危うい。自滅するぞ」と、ネタニヤフ首相を厳しく非難した。シューマーは、アメリカのユダヤ系の公人で最も高位にあり、長年イスラエルを支持してきた人だ。ユダヤ優先主義の人たちが孤立している。

イスラエル寄りのトランプも、「ネタニヤフは本気で平和条約を結ぶつもりはない」と何度も発言している。トランプは、イスラエルがサウジアラビアやエジプトなどと国交正常化して、平和条約を結ぶのが、最終的なパレスチナ問題の解決法だと考えているようだ。

もちろん、イスラエルの一般の良心的なユダヤ人は、自分たちを過激な思想のネタニヤフ一派と一緒にしてほしくないと思っている。ネタニヤフ政権を応援するのは限界にきている。

今、ユダヤ社会が世界的に見ても分裂状態になってきた。

2024年2月、国連安全保障理事会は、ガザでの即時の人道的停戦を求める決議案を否決した。

日本や中国、フランスなど理事国15か国のうち13か国が賛成したが、常任理事国でイスラエルを支持するアメリカが拒否権を行使。イギリスは棄権した。

また、2023年12月、南アフリカは、ガザに攻撃を続けるイスラエルがジェノサイド防止条約に違反しているとして、国際司法裁判所（IJC）に提訴した。

それに対し、IJCは、1月、イスラエルに対して、ジェノサイドをやめるために、あらゆる措置を講じることを命じた。いずれ戦犯たちが戦争犯罪の罪で裁かれるだろう。

ハザールマフィアの大きな失敗は、世界で大きなイベントを演出して、世界を操作できなくなったということだ。彼らの一族の1人が王となり、全世界の独裁者になる計画が頓挫した。ある意味では、一神教の何千年前からの計画が失敗に終わった。

今、欧米の一部国家を除く世界の多くの国が、いわゆる多極世界、緩やかな世界連邦になることを望んでいる。それが主流になれば、ハザールマフィア一族による世界独裁計画は阻止できるだろう。

◆近づくイスラエルの国家滅亡とアメリカの動乱

ハザールマフィアの最終的な目的は、イスラエルとイスラムの国々との対立を煽り、第3次世界大戦を勃発させることだ。

ハザールマフィアらは第3次世界大戦を起こせば、アメリカの倒産問題も西側欧米の孤立もうやむやになり、すべてがなかったことになると勘違いしている。

試験に落第しそうな子供が「学校を放火して問題から逃れよう」と考えるのと同じ発想だ。イスラエルのネタニヤフ首相が「今起きていることはイスラエルの9・11だ」などと言って煽り立てているのも、9・11の時のように自作自演テロを機に戦争を起こすためにほかならない。

ハザールマフィアらは、昔から過剰にトラウマを掻き立てて国や大衆を操ってきた。しかし、今の彼らはイソップ童話のオオカミ少年と同じだ。今や繰り返し事件の捏造を図り、人々を恐怖に陥らせようとする連中に騙される者はほとんどいない。

ガザの大虐殺が始まって以降、イスラエル経済の低迷が加速している。2023年の第4四半期にGDPが年率19・4％下落した。その後もイエメンの親イラン武装組織、フーシ派が紅海でイスラエル向けの貨物船を次々と撃沈しているため、物資が届かず、イスラエルの経済活動はますます停滞している状況だ。

さらにはアメリカからの支援金も止まっているため、イスラエルが経済危機で降参に追い込まれるのは時間の問題である。ハザールマフィア、欧米権力の「最後の拠り所」とも言うべきイスラエルとウクライナの陥落が近づいている。

今までハザールマフィアはウクライナやイスラエル経由でマネーロンダリングし、米欧日の政界に賄賂資金をばら撒いてきた。その拠点が崩壊すれば、彼らは米欧日の政界を支配することができなくなる。

以降、ウクライナへの資金や物資の流れが急速に途絶えつつある。したがってハザールマフィアらがウクライナ経由でマネーロンダリングしていた欧米政界への賄賂資金も無くなった。

米議会上院は、2月、ウクライナとイスラエルなどへ軍事支援を含む950億ドル

（約14兆円）の支援法案を承認した。しかし、共和党が多数派を占める下院では、対ウクライナ支援に反対する議員が多く、採決のめどが立っていない。米バイデン政権が要請するウクライナとイスラエルの支援の予算を米議会が拒否している。その後、通過したと発表されたが、現実問題としてお金は動いていない。

ウクライナ支援では、２０２３年10月、アメリカの政府閉鎖を回避する「つなぎ予算」からウクライナへの追加支援が除外された。これを皮切りに、欧米の「ウクライナを見捨てる動き」が加速した。

イギリス政府も「ウクライナに送る武器がなくなった」と発表。次にポーランド政府が「ウクライナへの武器供与を停止する」と公言し、隣国のスロバキアでは「ウクライナ軍事支援の打ち切り」を訴える野党が選挙で第1党に躍り出た。これを率いる党首ロベルト・フィツォ（元首相）は完全な親ロシア派である。

10月、ウクライナの首都キーウで開かれたEUの外相会談では、ポーランド、ハンガリー、ラトビア、スウェーデンの外相が欠席するなどまったく足並みが揃わず、新たな対ウクライナ軍事支援についての合意はできなかった。

今までウクライナは欧米政界にばら撒く賄賂資金のマネーロンダリング拠点だった。

しかし、その賄賂資金の原資となる各国からの支援金や武器の供給が止まり、ゼレンスキーと彼の裏方は裏金で欧米政界を動かすことができなくなった。それに伴い、長らく続いたアメリカ政界の茶番も終わりを迎えようとしている。

２０２４年3月1日、米議会で「つなぎ予算」がなんとか成立し、政府閉鎖はいったん回避された（その後、２０２４年度予算も成立）。だが、ウクライナ支援を呼びかけている今のアメリカ政府も、今後そう長くは持たない。

ハザールマフィアたちは、こうしたアメリカのいつ倒産してもおかしくない現状から脱するために、イスラエルで自作自演テロを起こし、世界大戦を勃発させようとした。

しかし、今のアメリカには戦艦や戦闘機を派遣するおカネがない。そんな状態で戦争をしたところで負けることはわかっているので、米軍は絶対に動かない。

アメリカからの支援金が完全に途絶えれば、ウクライナもイスラエルも破綻に追い込まれるのは必至だ。

そうなれば、ウクライナ戦争は終結し、それと同時に、イスラエルは国家滅亡する。

今後、欧米諸国に「政変ドミノ」が押し寄せるのは時間の問題である。

米軍の幹部筋は「そんなことよりも既存政府が倒れ、アメリカ国内で戒厳令が発令されるのを待っている」と話している。そして近い将来、必ずその日は訪れる。

◆ナワリヌイはMI6により殺された

日本でのメディアの報道にひたっているとは信じられないかもしれないが、そもそもウクライナ戦争は、開戦から2か月でロシアの勝利は確定していた。

すでに述べた、タッカー・カールソンのプーチンインタビューで明らかになっているが、2022年4月には、ウクライナとロシアは和平合意の寸前まで行っていた。それを、イギリスの当時のジョンソン首相が電撃的にキーウを訪問して、「いや、戦い続けるべきだ」とウクライナを説得して、この合意案をぶち壊したことが明らかになっている。

私が聞いている情報では、その後も、2023年の時点で、ドニエプル川を境に東側をロシア領にするという条件で、戦後の領土境界はすでにロシアと欧州上層部の間で合意が成立しているという。あとは、ドニエプル川の西側をどうするか、これをウクライナの領土とするのか、あるいはドイツやポーランドにも一部割譲するのか、そこを詰めれば懸案事項はクリアされる。

このように、日本のメディア報道を見ているだけでは、世界の真実はまったく伝わってこない。

たとえば、2024年2月16日に獄死した、ロシアの反体制指導者アレクセイ・ナワリヌイ氏の死亡について、日本では初報段階で、「プーチンが殺したに決まっている」というハザールマフィアのプロパガンダがすっかり浸透し、今でもそう思っている人が少なくない。

ロシア国営テレビは、死因は「血栓」だとすぐに報じたが、ロシア政府自体は、原因を調査中として正式の発表を遅らせた。西側メディアが「血栓」説を信じる様子はみじんもなかった。バイデン大統領はここぞとばかり、「責任はプーチンにあり」と煽り立てていた。

アレクセイ・ナワリヌイは「血栓」により死亡したと発表された。だが、本当はMI6により殺された。理由は、彼がダブルエージェントだったから

アレクセイ・ナワリヌイ

プーチンがやったという西側メディアのプロパガンダは論外だ

しかし、2月26日にはウクライナの情報当局が、「死因は血栓」と、正式に認める発表を行った。このことだけを見ても、いかにウクライナ政府内も割れているかが分かる。

しかし、私のもとに入っている情報は、これとはまったく違う。

ＭＩ６筋によると、ナワリヌイを殺したのはＭＩ６だという。なぜＭＩ６がナワリヌイを殺すのかというと、彼がドイツとのダブルエージェントだったからだという。ロシアとの取引でいろいろなことを暴露しようとしていたから、口封じのためにイギリスが殺した。

普通に考えて、プーチンには彼を殺す動機がなかった。ロシアの大統領選が目前に迫っていたが、プーチンの再選に影響を及ぼすような力はナワリヌイにはなかった。

第3章

アメリカ帝国はまもなく崩壊する

――11月米大統領選は中止になる

◆トランプは2人いる

アメリカは、常識では考えられないほど、あまりにも早いペースで動いている。たぶん、2024年11月の米大統領選挙は行われないだろう。バイデン政権はそれまで持たない。大統領選どころではない、何か大きな事態が起きるからだ。

この先、アメリカが待ち受けるものは、大規模な内戦か、国家消滅か……。時を待たず、いずれわかることだ。

ニュースの取材というのは、氷山が海に崩落する瞬間を待ち受けるようなものだ。日々の現実の変化はなかなか見えにくい。「ああ、このひびが少し大きくなったな」とか、「今日は、氷の溶けたしずくの量が多いな」とか、その程度の地道な確認作業の連続だ。

そして、ある日突然、予告もなしに、巨大な氷の塊（かたまり）がドカーンと海に崩れ落ちる。そして、その衝撃の反動で大きな津波が発生する。もちろん海にいた生き物はひとたまりもない。連鎖して予想がつかない、さまざまなことが起きるのだ。

2年分のニュースがあっという間に起きる。1989年11月9日、ベルリンの壁がすごい勢いで崩れていき、その2年後ソ連が崩壊した時のように。ベルリンの壁の崩壊のアメリカバージョンが、もう目の前に来ている。

そう私が言うのも、ロイド・オースティン米国防長官、国務省の実質的なトップだったヴィクトリア・ヌーランド国務次官、ミッチ・マコーネル上院議員、ヘンリー・キッシンジャーなど、あれだけの超大物が短期間で消えるのは、普通ではないからだ。

2024年11月5日に行われるはずの米大統領選は、民主党のジョー・バイデン大統領と、共和党のトランプ元大統領のリベンジを懸けた激戦となっている。

ここで私が、「トランプは2人いる」と言ったら、信じてもらえるだろうか。とても理解しがたいだろうが、本当のことだ。

情報筋の話では、2020年1月から、本物のトランプは、コロラド州のシャイアン・マウンテン空軍基地の地下施設にいる。ここはアメリカ宇宙軍の基地の1つで、トランプは軍のトップとして仕切っているという。

もう1人のトランプ、偽物の悪いトランプがいるのは、フロリダ州パームビーチ、トランプの別荘のマー・ア・ラゴだ。

たしかに2人の顔を見たら、違いがわかるはずだ。

いつも奥さんのメラニアと映っていて、しゃきっとした顔をしているのが、本物のトランプだ。新型コロナのワクチン接種に反対で、よっぽどましなことをする。コロラド州の軍事基地で、旧体制の悪い人間を軍事裁判にかけて、その場で死刑にしているという。

一方、目の周りが異常に白く、ゆるい顔の印象のトランプは、マー・ア・ラゴにいる偽物の悪いほうのトランプだ。

わかりやすく言うと、民主党の人たちが嘘のトランプを担(かつ)ぎ出して、テレビで「僕はワクチンやってよかった」などと言わせてワクチン接種を勧めた。わざとトランプの人気を落とすような発言を大手マスコミで流していた。

「バドライト現象」の時もそうだ。2023年6月、アメリカでもっとも人気のあるビール「バドライト」が、アメリカで20年以上維持していた売上げトップの座を明け渡し

トランプは２人いる

目の周りが異常に白く、全体にちょっとゆるい印象を与えるのが偽物だ

た。トランスジェンダーの俳優を起用した販売促進に、保守派による不買運動が起き、売上げが激減したからだ。

缶の表面にトランスジェンダーの俳優のイラストが付いた商品をSNS上で宣伝していたのに対し、「ふざけるな。おかまのビールが飲めるものか」と性的少数者の権利拡大に反発する人たちが猛反発した。騒動の最中、なぜかトランプは、「バドライトにもう一度チャンスをくれないか」などと似合わない発言をしている。

この別人のトランプが現れる現象を、どのように理解したらよいのだろうか。

2人のトランプの背後には、それぞれ別の勢力がいて、お互いにトランプというキャラを操っているのではないか。

現場で動いている多くの人たちを指導するために、トランプのイメージキャラを使っている2大勢力がいると見たほうが私は正しいと思う。その2大勢力こそが、ハザールマフィアと、それに対抗する改革勢力だろう。

今、最新のAIやCG技術を使って、簡単に影武者ができる。今までの政治とは違う、影武者をキャラとして動かすキャラ同士の攻防戦だ。

たとえば、第2次世界大戦中、英米の新聞に登場する悪魔のような東條英機の風刺画と、日本の新聞での東條英機は、まったく違う人物のように見える。『バットマン』の権利を持っている映画社は2社ある。それぞれの『バットマン』の脚本はまったく違う。同じように、「トランプマン」の脚本は2つの勢力がそれぞれ別個に書いていると説明すると、つじつまが合う。

◆刑事裁判を受ける能力がないと診断されたバイデン

今、アメリカ国民の55％が、バイデンは脚本を棒読みする「役者」だと思っているという調査報告がある。これまでバイデンは数々の失言を繰り返してきた。失言が山ほどあるのも、何か意味があるのだとしか思えない。

今、全米各地で大規模な山火事が起きている。昨年8月には、ハワイのマウイ島。2024年2月には、テキサスで史上最悪の山火事となった。この山火事は、衛星もしくは飛行機に搭載されたレーザー兵器（指向性エネルギー兵器）を使って起こしたものだと言われている。証拠動画もあるので、信憑性は高い。

この上空からのレーザー光線は青色の物体には反応しないと言われ、屋根を青くした人たち、大富豪の邸宅だけが、火災を免れた。その際、バイデンが口を滑らしたのが、次の発言だ。

「焼け落ちた地域の上空を飛ぶと、完全に破壊された20軒の家が霧の中に見えるだろう。そのうちの1軒は、〝適切な屋根〟があったためにそこに残っている」

「屋根の色を青にすれば、家は破壊されない」とバイデンがレーザー兵器の使用を示唆するとんでもない発言をしている。

また、2月、バイデン大統領が副大統時代、機密文書を自宅に持ち出した「機密文書事件」を担当した特別検察官、ロバート・ハーは、「高齢の上に、たいへん記憶力が弱く、刑事裁判を受ける能力がない」と報告書に断じ、不起訴にした。

検察が行った聴取の際、バイデンの記憶には「重大な限界」があり、自分が副大統領だった時期や息子が死去した時期なども思い出せなかったという。

「刑事裁判を受ける能力がない」と判断されたことは、今、アメリカの刑務所に収監されている、もっとも知能の低い囚人よりも、バイデンの認知機能は劣っていることになる。

ロシア軍将官のイワン・ポポフは、「アメリカで核兵器発射命令を最終的に下せるのは、現在〝記憶力に劣る老人〟と評されるバイデン大統領だけだ。間違いを犯せば、地球規模の大惨事につながる可能性がある」と当然の危惧を公言した。

この一件で、「バイデンや政権の閣僚たちは、実質的に軍の指揮権も核発射命令の権限も与えられていない」ということが世界中に知られてしまった。

アメリカ大統領の失脚と言うべきか、イタリアのテレビなど、世界のメディアでバイデンを嘲笑（ちょうしょう）する動画が出回っている。

アメリカに、ネットで評判となった、すごい人気の金髪の美女がいる。誰かが彼女になりすまして、中国語とロシア語でロシア製品を販売している。

今や生成ＡＩを使えば、キャラを乗っ取ることも簡単にできてしまう。バイデンは、あまりにもピエロみたいな言動をさせられている。もはやバイデンは世界のリーダーでも、アメリカ大統領でもないことを、意図的に伝えているのではないか。

今回の大統領選でも、もうバイデンをもり立てるムードは感じられない。世界的な人気歌手、テイラー・スウィフトをはじめ、セレブたちを使って世論操作してもうまくいっていない。

バイデン政権の幹部を見ると、おおむね外交問題評議会のメンバーだ。外交問題評議会こそ、まさにロックフェラーの専属グループである。ロックフェラー一座の顔役、幹部団員が、バイデンやバイデン政権の人たちだ。

その中には、フェイスブックの創業者で、現在メタの会長兼CEOのマーク・ザッカーバーグとグーグルの創業者、ラリー・ペイジ、世界的投資家のジョージ・ソロス（本当はとっくに死亡）も顔をそろえている。

私の情報筋によると、ザッカーバーグはデイヴィッド・ロックフェラーの孫だという。また、ラリー・ペイジは逃亡中で、ジョージ・ソロスは殺されたという。

バイデンとバイデン政権を裏から操る勢力にとって、ロックフェラー一族が最後の砦（とりで）となっている。

◆アメリカ人エリートの傭兵にするための1000万人の難民

今、アメリカ国民がいちばん気にしているのは、不法難民の問題だろう。バイデン政権が発足した2020年以降に、1100万人ほどの難民がアメリカに入っている。彼らは明らかに普通の経済難民ではない。

アリゾナ州に住む私の友人によると、彼らのほとんどは、鍛えられた筋肉を持つ独身男性で、明らかに軍の訓練を受けた雰囲気だと言う。なかでも南米経由の中国人が多いそうだ。

CIA筋によると、これまでに約30万人の単身男性が国連（ロックフェラー）からおカネをもらい、工作要員としてアメリカ国内に流入している。

工作要員として流入した単身男性の不法移民に対しては、少なくとも2023年の11月頃まではFBIからデビットカードが配られ、そのカードに毎月2000ドル程度のおカネが振り込まれていた。

しかし、ついに そのおカネも途絶えたようだ。証言によると、彼らはアメリカ各地に潜伏し、今は動員命令が出るのを待っている状態だという。

今、アメリカ政府は不法移民を軍や警察に入れようとしている。

アメリカの武器小売店主の証言によると、政府が、「身分証のない不法移民にも銃などの武器を販売してもいい」などと全米のガンショップに通達を出しているのだ。

また、ロサンゼルスなど、アメリカの複数の地域の市長が「不法移民を地元警察で採用する」と言いだしている。さらに、最近の発表では、不法移民たちをアメリカ軍に入れるという法案を通そうとしている。

彼らは、日本のコンビニでアルバイトをしている中国人のお姉さんとは訳（わけ）が違う。もし日本に、アメリカの人口に比例して、５００万人の外国人、パキスタン人やインド人、中国人、インドネシア人などの若い男性が入って来たらどうだろうか。政府からお金をもらい、そのお金で武器を買って犯罪を犯したり、警察官や自衛隊員になったりもする。彼らが町中にあふれると、誰もが日本を乗っ取られる恐怖で怯（おび）えるだろう。

それが今のアメリカの現実だ。ウクライナやイスラエルの戦争どころではないのだ。

たとえば、ニューヨーク市の移民保護施設では「昼夜を問わず玄関先などで物乞(ものご)いをする移民が増えている」との苦情が相次いでいるという。この問題に対処するため、ニューヨーク市政府は「移民の夜間外出禁止令」の発令を真剣に検討している。

またシカゴでは、保護施設の定員が限界に達し、不法移民たちは昼の間はゴミの中から食料をあさり、夜になると凍死しないようにバスで眠るといった生活を送っているという。

米労働省が発表した2月の雇用統計では、アメリカ生まれのアメリカ人の労働者は2月に56万人減少、過去3か月では240万人もの労働者が失業している。

その一方で、2月には120万人もの移民（合法と違法の両方を含むが、ほとんどが違法）が新たに雇用されている。そして、そのほとんどが政府系の仕事だ。そこに「何らかの意図がある」と考えるのは当然だろう。

それでは、その不法移民の傭兵を、どう使うつもりなのか。

私には、アメリカのエリート層のハザールマフィアたちが、怒り狂ったアメリカ一般市民から身を守るため、「外国人の用心棒」を確保しようとしているとしか思えない。

まさに末期的な症状だ。

彼らにアメリカで住む生活費を渡し、動員命令をかけて大暴動を一斉に起こす。アメリカのエリートたちは自らの悪行がばれ、アメリカ国民に「吊(つる)される」のを怖がっている。

もしくは、彼ら傭兵たちを使って未曾有(みぞう)のカオスを引き起こし、自らの責任をうやむやにするかだ。

政府に雇われた不法移民たちが全米各地で一斉に大規模な暴動や事件、テロなどの騒ぎを起こせば、内戦の勃発もしくは戒厳令を敷く引き金になる可能性は極めて高い。

いずれにせよ、今のアメリカが尋常でない事態に陥っているのは間違いない。

彼らが動き出す可能性が高いのは、アメリカ政府の資金が完全に底をつき、アメリカのデフォルト(倒産)が正式に宣言されたときだろう。もう1つは、危険ワクチンの推進に加担した人物の戦犯裁判が開始されるタイミングだ。

これまでアメリカがデフォルトの危機に陥るたびに、ハザールマフィアらは9・11のような「とんでもない事」を幾つも仕出かしてきた。今回も、その恐れは大いにある。

現在、少しでも不法移民の流入を止めるため、テキサスの州兵が国土安全保障省の国境警備隊をテキサスとメキシコの国境から追い出している。

本来、国境警備の方針を決めるのは中央政府の領分であり、州政府が勝手に州兵を国境に配備するという行為は、かなりの異常事態だ。この動きはテキサス州政府の中央（ワシントンDC）に対する宣戦布告と言っても過言ではない。

そして、テキサス州とその他27州の州兵がメキシコ国境に集結し、国土安全保障省の国境警備隊との衝突に備えている。

その発端はバイデン大統領が最高裁判所の判断を盾にして、「メキシコ国境からのテキサス州兵の撤退」を命じたことだった。この命令を受け、テキサス州のグレッグ・アボット知事は、バイデン政権に1月24日付の書簡を送り、公然と中央政府に反旗を翻（ひるがえ）している。

◆アメリカ軍に協力するイーロン・マスク

今、バイデンは、軍からも国境警備隊からも見放され、バイデンのために戦う兵隊がいない。

アフガニスタン紛争やイラク戦争で活躍した、アメリカの民間軍事会社「ブラックウォーター」の創設者のエリック・プリンスも「もうバイデンはダメだ」と見捨てているという。バイデンは軍のトップでも何でもない。もう八方ふさがりで裸の王様だ。

アメリカを動かしているのは、米ハザールマフィア陣営と、対抗する反ハザールマフィア陣営の2つの勢力だと私は信じている。

米軍を掌握しているのは、ハザールマフィア陣営のバイデンではなく、トランプや、テスラ創業者のイーロン・マスク、アメリカ宇宙軍作戦部長のB・チャンス・サルツマン、フロリダ州知事のロン・デサンティスたち、ハザールマフィアを掃除する改革勢力である。

2022年10月、マスクは世界中で5億4000万人が使っているX（旧ツイッター）を440億ドルで買収した。そして、ただちに、凍結されていたトランプのアカウントを解除した。

2021年1月に凍結される前、トランプはツイッターを使い、毎日1億人ぐらいにメッセージを直接発信していたのだ。このトランプは、もちろん本物のトランプだ。

米軍情報筋によると、今、アメリカ軍を仕切っているのは、イーロン・マスク一派だという。

米軍で、国家安全保障上の理由で封印されているパテント（技術特許）は、6000以上あると言われている。

マスクは、DARPA（国防総省高等研究計画）のメンバーであり、マスクの会社が、米軍が開発した最高度の軍事技術を民間に卸す窓口になっている。

DARPAは米国国防省内部部局に属し、独自で米軍が使用する兵器の新技術の研究開発の管理を行う。アメリカにおける世界の最先端の研究開発の中心的存在だ。

また、マスクはNRO（アメリカ国家偵察局。国防総省の諜報機関、空軍長官の直轄）とともに、スパイ衛星網の構築などを、自社の宇宙開発企業スペースXで開発中だ。マスクが立ち上げた企業ニューラリンク（Neuralink）では、脳と人工知能（AI）をつなぐ研究をしている。これも大元は軍事技術である。

最近、ロッキード・マーチン社が反重力飛行体を公開した。ロッキード・マーチン社はUFOを隠していたとされる米ネバダ州の「エリア51」（グルーム・レイク空軍基地）で第2次大戦中から極秘プロジェクトを進めてきた。

トランプが2019年に創設したアメリカの宇宙軍に「秘密宇宙プログラム」があるという。まだ公開されていない新たな科学技術の開発をしている。

情報筋によると、それが空飛ぶ円盤、最新鋭のUFO型・反重力戦闘機だそうだ。反重力装置もすでに実現していると言われ、国家安全保障上の理由から秘密にしてきたそれらの情報が、いつ公開されるかが焦点となっている。

アメリカ政府の発表によると、アメリカ空軍が保有する540機のステルス型のF－35戦闘機のうち、実際に戦闘に使えるのは、15から30％しかないという。劣化によるエンジンの故障率が高く、7割以上が稼働していないのだそうだ。

アメリカの上場企業の88％を支配しているバンガード、ブラックロック、ステート・ストリートの3大投資会社をはじめ、巨大企業群と軍産複合体は、今、宇宙軍の利権を狙っている。軍に対する自分たちの利権を温存しようと必死だ。F－35戦闘機に代わるUFO型・反重力戦闘機など、最新兵器の開発もその一環にあるのだろう。

また、空間に神や悪魔を投影する、ホログラム技術を利用した人類奴隷化計画「プロジェクト・ブルービーム計画」も延長線上にあるようだ。

トランプは大統領の時、イラクをはじめ世界各地で展開させているアメリカ軍を、アメリカファーストの理念で「もう撤退しようではないか」と呼びかけた。それは軍に反対され頓挫（とんざ）したが、トランプは宇宙軍を作り、映画「スタートレック」のように、自分たちが地球防衛軍になろうとした。それ以来、偽（にせ）宇宙侵略の準備をずっと前からしている。

ソーシャル・メディアの世界でも2つの勢力が互角に戦っている。真実を伝えているイーロン・マスク、トランプグループのXが、マーク・ザッカーバーグのメタ（Meta旧Facebook）、ラリー・ペイジのグーグル（Google）に対抗して戦っている。アメリカ軍対巨大企業群の代理戦争とも言える。

ティックトック（TikTok）のアメリカ事業は、オラクルの創業者のラリー・エルソンが買収した。エルソンはトランプの支持者であり、ＣＩＡの良心派のグループはティックトックの裏方だ。

現在、メタのインスタグラム（Instagram）も含め、各々のＳＮＳが、それぞれ異なるストーリーを拡散させている。それで我々の頭が混乱させられている。

◆アメリカ社会の崩壊

アメリカを代表する小説家、アーネスト・ヘミングウェイの小説『日はまた昇る』（*The Sun Also Rises*）は、パリやスペインを舞台にした第1次世界大戦後の「失われた世代」の青年たちを描いた傑作だ。その中に、次のような一節がある。

登場人物の1人、キャンベルは退役軍人の青年だ。酒乱で浪費家であり、破産もしている。あるシーンでキャンベルは、「どのように破産したのか」と聞かれる。すると、こう答えた。

「徐々に、そして突然に（グラジュアリィ・ゼン・サドゥンリ Gradually then suddenly ）」

この書名の『日はまた昇る』は、旧約聖書「コヘレトの手紙（伝道の書）」の冒頭の一節を引いたものだ。

「太陽の下、人は労苦するが、すべての労苦も何になろう。一代過ぎればまた一代が起こり、永遠に耐えるのは大地。日は昇り、日は沈み、あえぎ戻り、また昇る」（1－4～5）

この句はユダヤ人に流れる、この世の空(むな)しさと永遠の循環の思想を表している。日はまた昇り、再び沈む。徐々に、そして突然にカタストロフィ（大惨事、破滅）がやって来る。

このことは、アメリカも同じだ。社会の崩壊が少しずつ進行している。そのうちに突然、とんでもない事態に急展開する日が必ず来る。

しかし、限界を迎える日は確実に訪れる。「ヨハネの黙示録」が預言したこの世の終末、「世紀末劇」を起こすのは、神なのか、ハザールマフィアなのだろうか。

アメリカの衰退をよく表しているのが、アメリカ国内の貧困化と社会秩序の崩壊だ。ここで、今と昔のアメリカを比較するわかりやすい事例を紹介する。

1990年にヒットした映画『ホーム・アローン』の冒頭、家族旅行の出発のどさくさで家に取り残された8歳の主人公ケヴィンがスーパーマーケットへ1人で買い物に出かけるシーンがある。

このとき彼は、牛乳4リットル、オレンジジュース、パン、冷凍の七面鳥ディナー、トイレットペーパー、液体の洗濯洗剤、ラップ、マカロニ&チーズなど、カゴいっぱいの商品を購入して、合計19・83ドルを支払っている。

現在、それと同じ買い物をすると、72・28ドル支払わなければならないというデータがある。つまり、1990年以降の約30年で、アメリカでは、食料や日用品の価格が3・6倍に上昇している。また、近年のインフレによって、アメリカの物価はさらに高騰中だ。

一方、米国税調査局によると、1990年のアメリカの平均世帯収入の中央値は2万9943ドルで、2022年は7万4580ドルだった。年収は2・5倍の伸びに留まり、物価の高騰に追いついていない。アメリカ人の購買力は、30年間で3割ほど低下している計算になる。

こうした生活水準の下落が、アメリカ社会の秩序崩壊を加速させる大きな要因になっている。２０２３年10月下旬に発表された米農務省のレポートによると、２０２２年の時点で、４４００万人ものアメリカ人が食糧不安に陥っているという。

また、アメリカは医療費が高い。医療費は、近年のインフレの影響で上昇し、同時に保険料も上がり続けている。２０２１年時点で、２８００万人が無保険の状態にある。

そうなると、貧困に陥った多くの一般市民たちが万引きや強盗など、さまざまな犯罪に走るようになり、この負の連鎖がアメリカ社会の治安を急ピッチで悪化させている。

さらに、アメリカ経済の崩壊を示すサインがある。

米不動産データ分析会社アットム（ＡＴＴＯＭ）によると、「アメリカの５７５の地域を調査した結果、それらの地域の99％の住宅が、平均所得者の手の届かない価格であることがわかった」という。

住宅価格の高騰と急激な住宅ローン金利の上昇を背景に、持ち家はもはやアメリカ庶民の手に届かなくなった。

米大手小売りチェーンのターゲット（Target）は「窃盗被害および顧客とスタッフの安全のため4つの州にある9店舗を閉鎖する」と発表した（2023年9月）。

今、ロサンゼルスの高級住宅街ビバリーヒルズの小売店や銀行などが軒並み閉店している。貧困化した市民たちが連日のように襲撃・集団窃盗をするため、街中の店が閉店に追い込まれているのだ。もちろん、ロサンゼルスだけでなく、全米の多くの都市に同様の現象が広がっている。

アメリカの崩壊ぶりは、さまざまな角度から見ても決定的だ。今のアメリカは、金融経済のシステム自体が機能不全に陥っている。

◆アメリカ大富豪の株の投げ売り

今、アメリカの大富豪たちが自社株を大量に投げ売っている。

2024年の年頭からの2か月間に、アマゾンのジェフ・ベゾス、メタのマーク・ザッカーバーグ、ＪＰモルガンのジェイミー・ダイモンが皆、自社株を大量に売却したという情報がある。

ベゾスは、わずか9日間の取引で、アマゾンを５０００万株売却し、85億ドルを手にした。ザッカーバーグは２０２３年の年末に、自社の１８０万株近くを4億ドル以上で現金化した。ダイモンは、自身が率いる銀行の約82万２０００株を約１億５０００万ドルで処分したという。

今、アメリカ株が最高値を更新している。代表的な指標であるＳ＆Ｐ５００種指数は、２０２４年2月9日に史上初めて終値で５０００ポイントの大台に乗せた。その後も最高値を更新し続けている。暗号資産のビットコインも同様だ。3月8日、初めて7万ドルを突破し、史上最高値を付けた。

アマゾン株価はこの1年で90%、メタは86%、ＪＰモルガンは30%近く上昇していて、3社とも過去最高値を更新している。

もちろん、彼らは世界の1、2を争う大富豪だ。ベゾスは２０００億ドル（約30兆円）、ザッカーバーグは１７５０億ドル（約26兆２５００億円）の個人資産を持っている。

それなのに、なぜ、彼らは株を大量に投げ売り、現金化しているのだろうか。それは、これから何が起きるのか、株価が大暴落する日がわかっているのだ。

株式、金融の世界と実体経済はまったく違う。アメリカ国民4400万人が明日の食べ物の心配をしているよそに、表向きのアメリカの金融経済は絶好調の演出を続けている。

一方、日本でも、日経平均株価が2月22日にバブル期の高値を34年ぶりに上回り。3月22日には、4万円を超える最高値を付けた。この株の最高値は円安とセットで、2024年からの日本株急騰（きゅうとう）の背景には、外国人投資家の買い支えがある。

株はしょせん仕組まれた取引だ。取引量が少ない中小企業の株を、一定のグループが懸命に買い続ける。そして株価が急に上がると、一般のカモたちが「おお」と飛びつき、株価は最高値を付ける。もちろん、その頃には、最初に買った人たちは売り逃げして大儲けするという仕組みだ。

アメリカの株式市場を牽引（けんいん）しているのは、「マグニフィセント・セブン（M7）」だ。

マグニフィセント・セブンとは、GAFAM（ガーファム）と呼ばれる、グーグル（Google）、アップル（Apple）、メタ・プラットフォームズ（Meta、旧フェイスブックFacebook）、アマゾン（Amazon）、マイクロソフト（MSFT）に、テスラ（TSLA）とエヌビディア（NVDA）を加えた、アメリカの巨大テクノロジー企業7社を指す。

現在、マグニフィセント・セブン7社の時価総額は13兆2000億ドル（1980兆円）であり、その他、世界のすべての企業の時価総額を超えているというからすさまじい。

ちなみに、マグニフィセント・セブンは、アメリカ映画『荒野の七人』から名づけられた。大元は、黒澤明監督の『七人の侍』だ。残念なことに、マグニフィセント・セブンは、一般庶民を守る正義の味方では毛頭ない。

そのマグニフィセント・セブンがアメリカの主要な上場企業の株価をかさ上げし、「すごいね。いいね。いらっしゃい」とばかりに世界中のカモたちの金を吸い上げている。

株式もビットコインなどの暗号通貨も、当局が裏口、バックドアを持っている。強奪した金は、バックドアを通してハザールマフィアのマネーロンダリングに使われているという構図だ。

さらに言うと、テスラの時価総額も残りの世界の自動車会社すべての時価総額を合わせた額よりも高い。

車は世界で年間8500万台作られているが、テスラは1年間に185万台しか生産していない。わずか2％しか作っていない会社が、他の会社よりも価値があるわけがない。

株式市場というのは、ある意味大きなアメリカの幻覚になっている。すべてはマネーゲームで、ほとんどバーチャルの世界だ。実物の世界とは関係ない。だから現実主義のほうが、その金融ゲームに勝とうとしている。

今、ザッカーバーグ夫妻はハワイのカウアイ島の広大な土地に、地下核シェルターを備えた巨大施設を建設中だという。

大富豪が自分の城が落ちる前に、船いっぱいに宝を積み込んで逃げようとしているシーンを想像してほしい。必ずやって来る破滅の日に備えて、ザッカーバーグのように多くの富豪たちが逃げ場を探している。

◆アメリカの銀行はみんな潰れている

バブルかどうかを見極めるのは簡単だが、それが「いつ弾(はじ)けるのか」を予測するのは難しい。それはアメリカの倒産についても同じだ。アメリカの国家借金はすでに200兆ドル（3京円）を超えている。どう計算しても倒産状態であることは間違いない。

しかし、それが表沙汰になるタイミングを予測するのは非常に困難だ。

今、大手銀行のバンク・オブ・アメリカ、ウェルズ・ファーゴ、シティバンクをはじめ、アメリカの銀行は数学的にほとんど破綻している。

日本のバブルの時期、1980年代、私は取材をしていて、銀行のローンの伸び率と実態経済の伸び率であるGDPの伸び率に、100兆円のギャップがあることに気がついた。100兆円の不良債権を持っていたのだ。

この時、私は「日本の銀行はみんな潰れている」と確信した。この時価と簿価の差は、

5年ぐらいごまかせたが、1990年代末から2000年代初めにかけて、銀行の不良債権問題として大爆発した。

かつての日本と同じようなことが、今、アメリカで起きている。

2023年では、3月にカリフォルニア州に拠点をおき、スタートアップ企業向けの融資で知られたシリコンバレーバンクが経営破綻した。これをきっかけに、シグネチャーバンクとファースト・リパブリック・バンクの銀行破綻が続いている。もちろん、これは氷山の一角である。

アメリカの銀行の苦境の一番の要因は、FRB（連邦準備制度理事会）による急速な利上げで保有する国債の価格が下落し、財務状況が一気に悪化したことだと言われる。

FRBは、2022年3月、コロナ危機を受けて2020年3月から2年間続けたゼロ金利政策を解除し、政策金利を0・25%引き上げることを決めた。

この金融引き締めへの政策転換は、景気を冷やすことでインフレを抑えることだったが、その後のアメリカの物価上昇は止（とど）まるところを知らない。2022年6月の消費者物価指数（政府が発表する、実態より低い消費者物価指数）は、前年同月比9・1%の上昇と、およそ40年ぶりの記録的な水準を記録した。

現在、ＦＲＢの利上げに伴い、「米10年国債の利回り」が５％を超え、16年ぶりの高水準に達している。

これでは銀行はたまらない。長い間ゼロ金利政策が続いた中で、利払い０・５％から１％の金融商品をたくさん買い込んでしまった。政策金利が５％に跳ね上がると、今、30年間で１％の利払いしかない米国債を売ろうとしたら、半値以下だ。低金利で買った米国債や、企業の債券などの価値が下がっている。

それに加えて、アメリカの商業不動産の大暴落も銀行を直撃している。２月、カナダの年金基金が南カリフォルニアのビジネスパーク、マンハッタンのビルを１ドル（１５０円）で売ったニュースが話題となった。家賃収入で銀行ローンの金利を払えないのだ。商業不動産も価値が下がっている。

さらに、アメリカでは、２０２０年に比べて家を買うために必要な年収が80％上がったという。ローンの金利上昇で、毎月の支払額が高くなり、ほとんどアメリカ人が家を買えない状況にある。誰も家を買えないので、住宅の価格も暴落する。

シリコンバレーなどの地銀の破綻をきっかけに、２０２３年は全米の銀行で預金流出が相次ぎ、ある分析によると、平均すると45％資産価値が減少しているという。

そうであれば、本来なら銀行業務などもうできない。実質、倒産しているはずだ。おそらく銀行が国有化される日はもう近い。それ以外に方法はない。

◆債務不履行と政府閉鎖

事（こと）はアメリカの銀行に止（とど）まらない。アメリカの国家財政が実質デフォルトしている。債務不履行になっているのだ。アメリカでは、毎年のように、対外支払い期限を越せるかどうかですったもんだしている。

アメリカは「予算法」によって、政府は予算が成立しなければ支出ができず、議会の承認なしに支出ができない。だから毎年、つなぎ予算が失効して政府封鎖（ガバメント・シャットダウン）の危機が訪れている。なんとか延命を繰り返しているが、中身を見ると、本当に必要なものだけに限定されている。

政府閉鎖中は、政府機関の閉鎖や公共サービスが停止するほか、130万人の軍人の給与が支払えなくなるほか、国防総省の数十万人の職員も一時帰休となり、アメリカの安全保障を揺るがすこととなる。長期化すれば、経済に与える影響は大きい。

そうならないための延命資産を、アメリカは海外から調達してきた。

2008年9月のリーマンショックの際、FRBはアジアの王族たちに、「これからオバマという黒人の共産主義者を大統領にするから、それと引き換えに金(きん)を売ってくれ」と頼み込み、ヨハネス・リアディという王族から700トンの金を買った。そこでFRBは1000倍のレバレッジをかけて金本位債券を発行し、23兆ドルを作った。

一方、オバマは、抱え込んだ巨額の対外債務を半減させようと、虹色に印刷された新紙幣の「アメロ」を中国に持ち込んで、「1ドル2アメロと交換しよう」と持ちかけた。これは、さすがに習近平に断られたそうだ。

そのお金が底をついたのが、トランプ大統領の時の2020年の1月31日だった。

そこで起きたのが、新型コロナウイルス騒動だ。個々の騒動に乗じ、2020年の1月から2022年の4月まで7・4兆ドル（1110兆円）分ものドル紙幣を刷り、何とか延命した。それが、今、また底をつこうとしている。

この状況において「米軍がどう動くのか」も重要なポイントだ。メディアでは「政府機関が閉鎖されれば、その時点で米軍兵士への給与の支払いが止まる」と報じられている。

そうなった場合、軍が資金確保のために「FRBや大企業の国有化に向けて動き出すかどうか」が1つの見どころになる。

もちろんそれに限らず、今後アメリカ軍が「何かしらの行動」をとる可能性は高い。というのも2023年10月からトランプを熱烈に支持するチャールズ・Q・ブラウンJrが米軍制服組のトップ（統合参謀本部議長）に就任した。それと同時に米軍筋からは「国防長官のロイド・オースティンが近く更迭される」との情報も寄せられている。

近い将来、新体制となる軍の指揮のもとアメリカに緊急事態宣言が発令され、有力な政治家や企業トップら超エリートの粛清はさらに続くだろう。

米軍制服組トップ（統合参謀本部議長）、チャールズ・Q・ブラウンJr（1962－、62歳）

2020年8月、トランプ政権時代に空軍参謀長に就任、2023年10月からマーク・ミリーの後任として統合参謀本部議長に就任。筋金入りのトランプ派と言われている

◆ドルの秘密と徳政令

ドルは世界の基軸通貨である。SWIFT（国際銀行間通信協会）の元CEOでもあるゴットフリート・レイブラントの書籍『教養としての決済』（ナターシャ・デ・テランとの共著　2022年、東洋経済新報社）によると、現在、100ドル紙幣の75%がアメリカに存在しないという。

100ドル札は、流通しているすべての米ドル札1兆8000億ドル（270兆円）分のうちの80%を占めているそうだ。

米ドルの場合、大半が「休暇中」である。すべてのドルの約60%、すべての100ドル札の75%が国外で保有されているという。

ここにドルの強さの秘密が隠されている。

今、ドルは世界のものになった。もはやアメリカのものではない。基軸通貨としてのドルは2つの通貨の役割を果たしている。アメリカでは国内通貨として用いられ、同時に、国際通貨として用いられている。

この国際通貨としてのドル（国際ドル）は、ユーロドル、円ドルなどいわれ、決済通貨と基軸通貨の組み合わせで表記する。国際決済銀行の統計によると、通貨ペア別の流通量は、1位がユーロドルで、2位が円ドル、3位がポンドドルだという。

ドルはユーロドル、ブリックスドルとなり、アメリカのものではなくなった。もしドルがアメリカのものだったら、2020年以降、アメリカ国債の価値が反落し、今すぐにも暴落してただろう。だが、実際はしていない。

アメリカ国内で新しく刷っているドルは、商店街の地域振興券や地域通貨みたいなもので、商店街でしか使えない。

アメリカ国内では、株価のつり上げとベーシックインカムなどに刷り散らかしたドルをつぎ込んだ。その結果起きたのが、ハイパーインフレだ。アメリカ国内のドルの信用は壊れている。いくらハザールマフィアたちが国内で刷ったドルで株高を演出しても無駄なのだ。

アメリカ国内だけで考えると、今、1913年、FRBが民営化されてから、ドルの価値が96％下がっている。

アメリカ人の1人当たりの平均年収は4万5060ドル（約690万円）で、国民1人当たりのGDPは8万412ドル（約1200万円、2023年、IMF）だ。実際は、物価の高騰もあり、ほとんどのアメリカ人はギリギリの生活をしている状況だ。

そこで、最近話題となっているのが、国民にお金を配り、とんでもない格差を1度リセットする徳政令の実施だ。

もし、アメリカで国内での徳政令を発令するとどうだろう。アメリカの株式の時価総額と不動産の時価総額を人口で割ると、アメリカ国民1人当たり36万3000ドル（5500万円）もらえることになる。これで貧乏な人が家を買える。

大富豪からは農地改革で土地を奪う。そういうことをやる必要がある。

この徳政令をもし日本で行うとすると、株の時価総額 ÷ 人口で、だいたい1人当たり800万円もらえる計算になる。その他に、不動産徳政令で、現在、借家やアパートに住んでいる人たちに、住んでいる所を全部その人の持ち物にしてやる。それから、日銀を国有化する。すると、税金も国民健康保険も払う必要がなくなる。だからこれらの徳政令によって、かなり短期間にすべての日本人は、家賃を払わない、税金を払わない、国民健康保険料を払わない。プラス不動産持ちになる。プラス銀行に1人当たり800万円がある。そういうことが可能になる。あくまで計算上の話だが。

アメリカが倒産すれば、ロスチャイルドやロックフェラーなどが管理する国連や世界銀行、IMF、BIS（国際決済銀行）、WHOも軒並み倒産していく。場合によっては、世界の多国籍企業の9割が違う持ち主の手に渡ることになるだろう。

今、欧米の支配階級たちは生き残りを図るために金融経済データを捏造（ねつぞう）しながら、懸命に世間の目をイスラエルに向けさせている。しかし彼らの目論見が失敗に終わるのは確実だ。

すでにアメリカ帝国は崩壊した。ハザールマフィアには、「追い詰められると、とんでもない事件を捏造する」という悪い癖がある。アメリカの倒産が表沙汰になり、戦犯裁判が現実に始まるまでは十分に注意が必要だ。

◆バイデン政権の経済統計は大嘘のオンパレード

このようにアメリカは今、建国以来最大の危機に直面している。これまで既存の米政府が倒産状態にあることは繰り返し述べてきたが、ここまで酷い状況だとアメリカの改革勢力が目指す「建国当初の共和国」に戻ることすら難しい。原因は、やはりアメリカ経済の崩壊だ。

現在、その事実を隠すためにバイデン政権は嘘っぱちの経済統計を次々と発表している。しかし どんなに隠蔽工作をしたところで、結局は現実から逃れることはできない。臨時軍事政権を発足して 早々に戒厳令を発布しなければ、アメリカの社会秩序は壊滅し、全米が無法地帯になってしまう。

まずアメリカの商業不動産市場のデータを見ると、3月の商業不動産の差押え件数が、米全土で前年同月比117%も増加している。なお1月は、12月末の企業の会計年度末の数字が反映され、差押え件数は前年同月比350%増だった（https://www.msn.com/en-us/money/realestate/ar-AA1nfTw8）。

中でも、西海岸の状況は特にひどい。カリフォルニア州の3月の差押え件数は前年同月比405%と驚異的な増加となった。

その他にも4月に入って、中西部ミズーリ州のセントルイス市で都心の高層ビルが360万ドルで売却されたのだが、これは2006年にビルが販売された当時の価格（2億500万ドル）と比べて98%以上の下落だ（http://theeconomiccollapseblog.com/u-s-cities-fall-into-a-doom-loop-as-the-cre-crisis-absolutely-explodes/）。

これらの統計は、まさにアメリカの「大都市崩壊」を表している。今の利上げの影響で、企業のローン返済能力は限界に達している。数十億ドル規模の商業債務が満期を迎える中、借り手は「より高い金利で借り換えるか」、「大幅な値引きで不動産を売却するか」……のどちらかしか選択肢はない。

またアメリカの大都市では、犯罪、ホームレス、移民の急増により治安が急激に悪化し、住んだり働いたりしたいと思う人はほとんどいない。その結果、企業や人々が街から逃げ出して、オフィスビルの需要が激減しているのだ。

さらに近年、高級ブランド店が万引きや集団強盗の被害に遭い、都心からほとんどの店舗が撤退している。しかも、そうした被害に遭っているのは高級店だけではない。アメリカの1ドルショップチェーン（日本でいう100円ショップ）も万引きなどの窃盗被害により次々と撤退を余儀なくされている状況だ。

3月13日にはディスカウントショップ運営の米ダラー・ツリー（Dollar Tree）が、傘下のファミリー・ダラー（Family Dollar）を含む1000店舗の閉鎖を発表。また、同じく大手の「99セント・オンリー（99 Cents Only）」も4月8日に「連邦破産法第11条の適用を申請して事業閉鎖手続きに入る」と発表している（https://www.ocregister.com/2024/04/11/dollar-stores-are-shutting-down-across-america-they-did-this-to-themselves/）。

こうした状況を誤魔化すために、バイデン政権は嘘の統計を発表して少しでも状況を良く見せようとしている。左図の画像のデータもその事例の1つだ。

これは毎週金曜日に発表される失業保険の新規申請件数なのだが、3月8日～4月12日までの6週間のうち5週がまったく同じ数字（21万2000人）が並んでいる。アメリ

バイデン政権の統計は嘘ばかり

Fr	04/26/24	
Fr	04/19/24	
Fr	04/12/24	212.0
Fr	04/05/24	212.0
Fr	03/29/24	222.0
Fr	03/22/24	212.0
Fr	03/15/24	212.0
Fr	03/08/24	212.0
Fr	03/01/24	210.0
Fr	02/23/24	213.0
Fr	02/16/24	200.0
Fr	02/09/24	211.0
Fr	02/02/24	213.0

毎週金曜日に発表される失業保険の新規申請件数の表には、3月8日～4月12日までの６週間のうち5週がまったく同じ数字（21万２０００人）が並んでいる

カの労働人口は約1億6000万人。失業保険の新規申請件数が「毎週まったく同じ数字になる」というのは統計学的に言って不可能だ。

また、雇用統計も極めて怪しい。まずは以下のニュース記事をご覧いただきたい。

米労働省が5日発表した3月の雇用統計によると、非農業部門の就業者数は前月から30万3000人増えた。市場予想は20万人だった。失業率は予想通り3・8%と低かった。米経済は人手不足が定着し、雇用は強い勢いを維持している……。

(https://www.nikkei.com/article/DGXZQOGN04F5I0U4A400C2000000/)

しかし、その就業者数の内訳を見ると「違法な外国人労働者」の非正規雇用が増えただけのこと。「正規雇用」および「アメリカ生まれのアメリカ人労働者」の雇用状況は悪化の一途を辿っている。

しかも、米政府が発表する2種類の雇用統計、「Employment(雇用)の数」と「Payrolls(従業員)の数」の間には900万人もの誤差が生じているのだ。

失業率の「改善」は、外国人労働者の非正規雇用が増えただけ

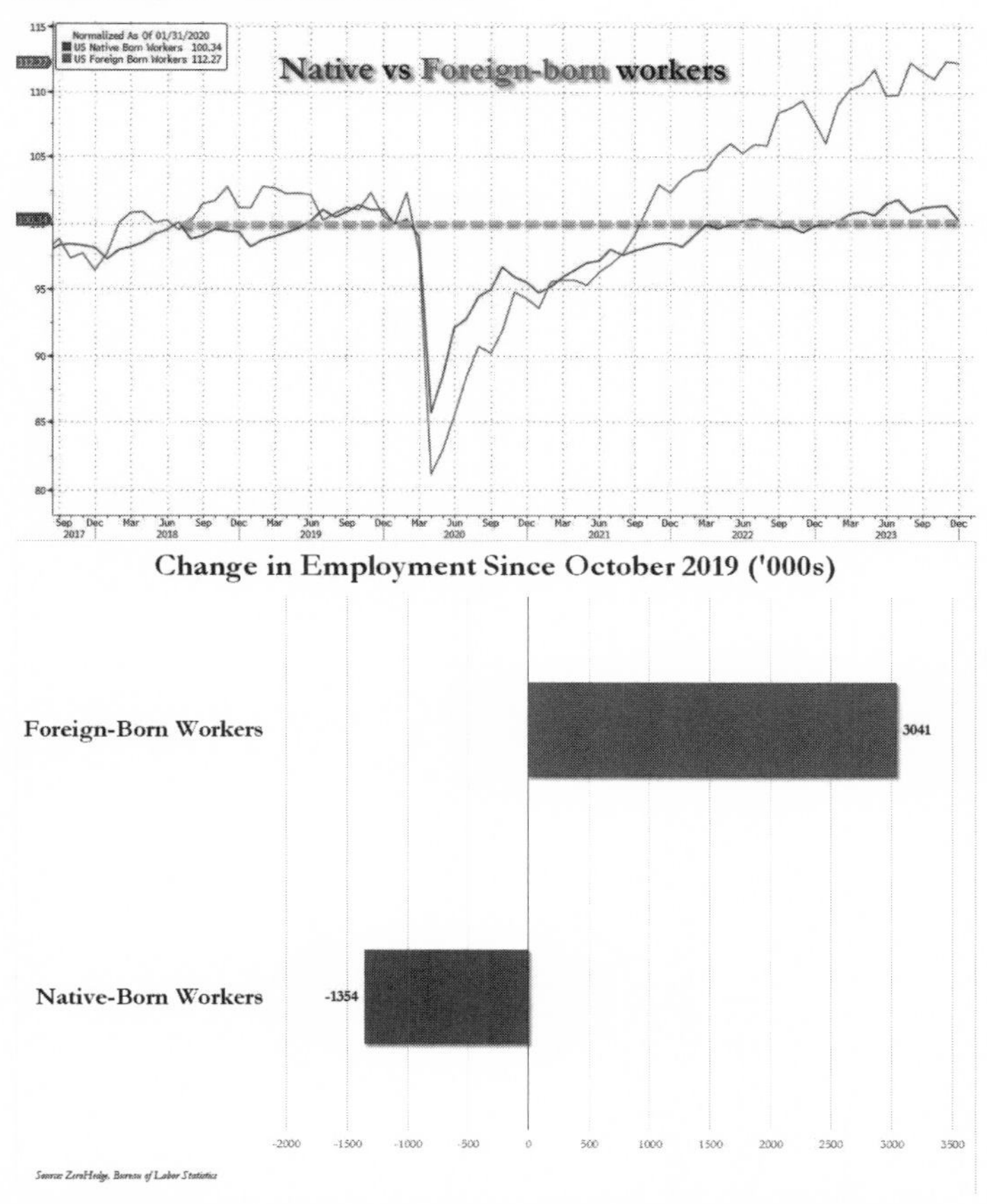

「正規雇用」および「アメリカ生まれのアメリカ人労働者」の雇用状況は悪化の一途を辿っている

その他にも、都合よく数字が改竄(かいざん)されている統計は多い。消費者物価指数（CPI。消費者が実際に購入する生活用品の小売価格の変動を示す指数）は、そのわかりやすい事例の1つだろう。

アメリカの先月の消費者物価指数が発表され、前の年の同じ月と比べて3・5％の上昇となりました。上昇率は2か月連続で前の月を上回り、インフレの根強さが改めて示された形です。……

（https://www3.nhk.or.jp/news/html/20240410/k10014418341000.html）

米政府はインフレ率を低く見せかけるため、1980年代から頻繁に調査対象の品目を入れ替えて統計の数値をコントロールしてきた。そのため、この指数を見ること自体、ほとんど無意味である。

たとえば、今年3月のエネルギー価格は2021年1月に比べて36・9％上昇している。エネルギー価格が上がれば、生産にかかる費用や輸送コスト、原材料費などが高騰するため、基本的にすべての価格が上昇するはずだ。しかし、米政府が発表する統計だとなぜかそうはなっていない。

その「なぜか」の答えは159頁のグラフの通り。季節調整という名のデータ改竄（かいざん）だ。これを見ると、アメリカの3月のガソリン価格は前年同月比で6・3％上昇しているのだが、季節調整というマジックを使って数字上は3・6％も価格が値下がりしたことになっている。

しかし現実の世界では、インフレや経済悪化に対処するため多くのアメリカ人が銀行口座から預金を引き出している状況。2023年1月からだけでも銀行全体から2兆ドル以上の預金が流出しているのだ。この状況を見る限り、先に述べたとおり、アメリカのほとんどの金融機関がすでに倒産状態にあるのは間違いない。そのため今、アメリカでは金融機関におカネを預けるのを止めて、金や銀のインゴット、美術品、骨董品……等々の実物資産を購入する傾向が高まっている。

そして何より、米政府が不正を働いているのは統計の改竄（かいざん）だけではない。3月26日に公表されたレポートの中で米国会計検査院（GAO）は「2021年以降、バイデン政権は累計で総額7640億ドル以上の〝不適切または不正確な支払い（improper or incorrect payments）〟を行った」と報告しているのだ（https://www.theepochtimes.com/us/biden-administration-made-236-billion-in-improper-payments-last-year-gao-report-5617905?src_src=Goodevening&src_cmp=gv-2024-03-29&est=AAAAAAAAAAAAAAausndAYOxtPG6bwup2RRBLs0yEwDm3hyT3JVh8n8e9oFCdohDg%3D%3D）。

現在、アメリカを乗っ取ったハザールマフィアらは法の裁きを逃れるために第3次世界大戦を起こそうと躍起になっている。しかし世界の軍や当局は、どんなに彼らに挑発されても世界中を巻き込むような大戦を起こすつもりはない。そのため最近のイランとイスラエルの揉め事も、いきなり全面戦争に突入するような事態には至っていない。

逆に、ハザールマフィアらが第3次世界大戦を起こそうとすればするほど、彼らへの包囲網は狭まっている。実際、第1章で述べたように、今年に入ってからロスチャイルド一族や英王室の多くのメンバーが公の場から姿を消している。英国MI6筋によると、世界経済フォーラム（ダボス会議）の会長、クラウス・シュワブもすでにに粛清された。

ガソリン価格の値上がりを「季節調整」というインチキを使って値下がりしたように見せかけている

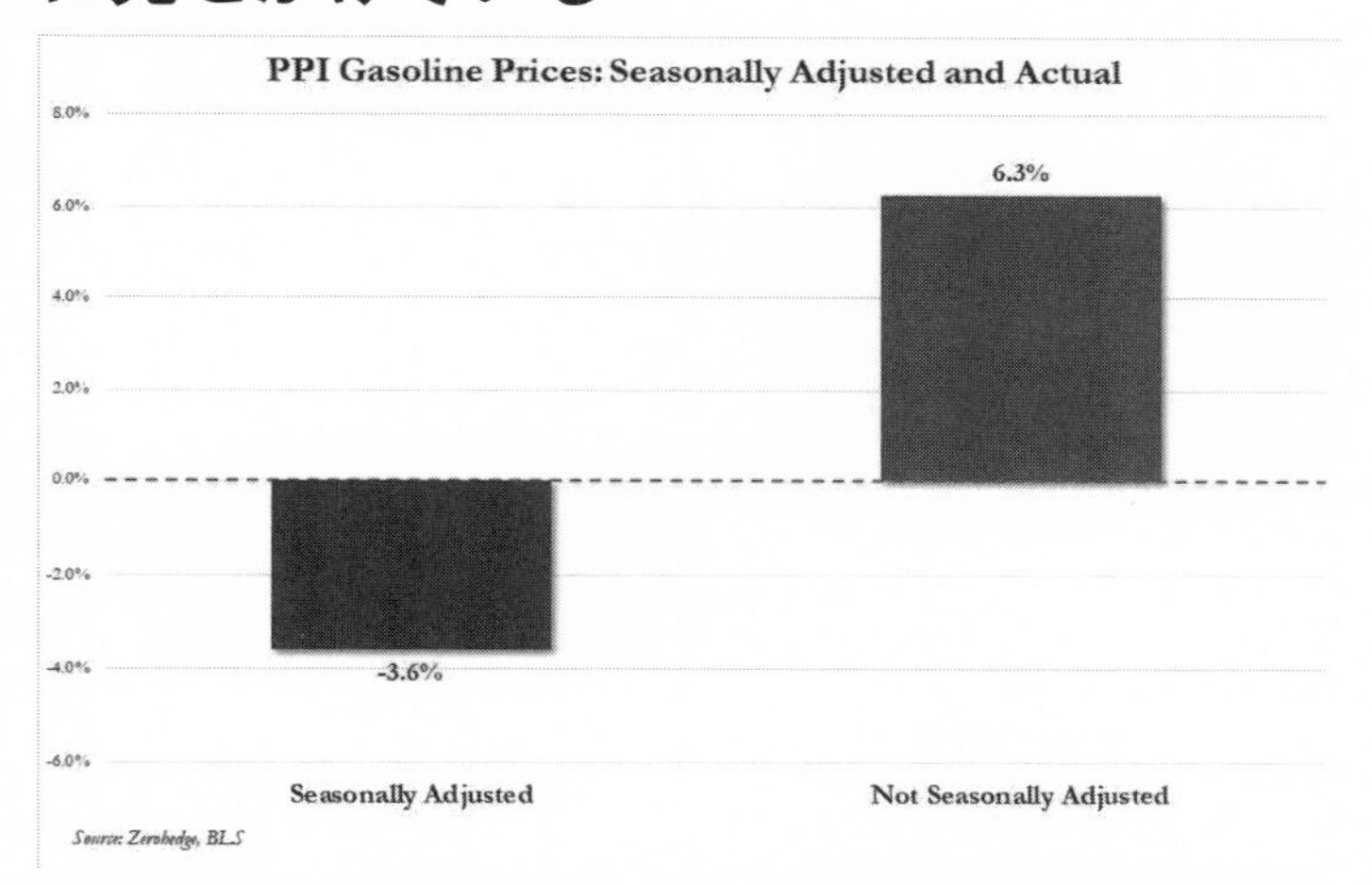

本当は、アメリカの３月のガソリン価格は前年同月比で６.３%上昇しているのだが、季節調整というマジックを使って数字上は３.６%も価格が値下がりしたことにしている

また、他の超大物権力者たちも各地で命を狙われているという。そうであるならば、危険ワクチンを推進して多くの人々の命を奪った日本の売国奴たちの粛清も近いだろう。兎にも角にも、腐敗した今の体制を早く崩壊させないと、欧米社会はますます世界から取り残されていく。

第4章

ヨーロッパのアメリカ離れと崩壊するEU

――悪魔崇拝に堕したロスチャイルド家がついに降参

◆ハザールマフィアの野望と世界の行方

今、ハザールマフィアたちが、イスラエルで大規模な自作自演テロを展開している。その狙いの1つは、ウクライナ戦争と同様に支援を募り、世界から莫大な資金を巻き上げることだ。

それからイスラエルに戒厳令を敷いて、軍事政権の樹立を正当化すること。軍事政権が発足すれば、ベンヤミン・ネタニヤフ首相を含むハザールマフィアの犯罪がもみ消され、イスラエル国内では、力ずくで法の裁きから逃れることができるからだ。

そして、その先に目論むのは、ハザール王国復活の実現と、人工世紀末劇の創出である。ウクライナ戦争もイスラエルのガザ地区侵攻も、ハザールマフィアの1200年に及ぶ謀略だった。

日本のメディアはおろか、CNNやニューヨーク・タイムズなど世界の名だたる主要メディアも伝えない内容に、読者の皆さんの頭は相当、混乱しているかもしれない。

これまでの話は、長年、私が取材で信頼関係を築いてきた世界の政府や軍、情報機関の人たちからの情報と最新データを元にした真実だ。

一度、わかりやすく整理してみよう。

そもそもの発端は、6世紀、今のウクライナの地でのハザール王国の建国だ。ハザール王国を作ったのは、ヒクソス（ヒッタイト）という古代アッシリアにいたトルコ系の遊牧民族である。中央アジアからエジプトに攻め入り、エジプト中王朝を滅ぼした。彼らは、モレク神（バール神、セト神）という異形（いぎょう）の神を信じていた。そして、周囲の国がイスラム教に改宗する中、ユダヤ教を取り入れ、ユダヤ国家となった。

9世紀後半、ハザール王国は、ロシアの最初の国家のキエフ公国とその周辺国によって滅ぼされた。それ以降、ハザール王国はロシアに深い恨みを抱き、西ヨーロッパをはじめ各地に離散した。彼らはユダヤ人を名乗って、中世の迫害やホロコーストの苦難をくぐり抜け、第2次世界大戦後、１９４８年にイスラエルを建国する。

このハザール王国の血を引くのが、17世紀に生まれたチャバド（正式名チャバド・ルバヴィッツ）というユダヤ・カルトグループである。世紀末戦争を勃発させて人類の9割を殺し、残りの人々を家畜化するという「人類家畜化」の思想と、子供を殺して生贄(いけにえ)にする儀式を持つ悪魔崇拝の集団だ。私はこのチャバドを含む集団を一般のユダヤ人と区別するため、ハザールマフィアと呼んでいる。

ハザールマフィアの司令部は、世界の多国籍企業を支配する700人であると言われ、世界の経済を牛耳(ぎゅうじ)り、世界の政治を動かしている。その幹部である上級機関は「オクタゴン・グループ」とされ、ヨーロッパの王族や貴族で構成されている。ロスチャイルド家やロックフェラー家もその一員であり、欧米の超エリートとして君臨している。

歴史的にも、世界の一番上にいるハザールマフィアたちが、戦争や革命を起こし、政治家、大富豪を殺し、世界各地でさまざまなトラブルを起こしてきた。

このハザールマフィアに対抗しているのが、英米の改革勢力・反ハザールマフィア陣営である。今、改革勢力による欧米超エリート、ハザールマフィアの粛清が進んでいる。

ヨーロッパでは、世界の金融を支配するジェイコブ・ロスチャイルド（ロンドン家6代目当主）はじめロスチャイルド一族、英国王室のチャールズ3世、カミラ王妃、ウィリアム皇太子、キャサリン皇太子妃、ローマ法王フランシスコ、アメリカでは、ヴィクトリア・ヌーランド国務次官、オースティン国防長官など、ハザールマフィアの上級幹部が次々に表舞台から姿を消している。

ウクライナ戦争とイスラエルのガザ侵攻の真実は、タッカー・カールソンによるプーチン大統領へのインタビューによって証明された。

ウクライナ戦争はハザールマフィアのロシアに対する復讐であり、ロシアを分裂させ、ロシアを中国と戦わせて、中国をも分裂させる狙いがあった。

イスラエルのガザ侵攻は、中東とアメリカを巻き込んで第3次世界大戦を起こす謀略だった。それらの目的は、ハザール王国の復活と、自ら世紀末劇を演出し、世界帝国を実現し人類を家畜化することだ。

今、アメリカでは、バイデン大統領、トランプ元大統領、巨大テック企業のマグニフィセント・セブン（マイクロソフト、アマゾン、テスラ、アルファベット、エヌビディア、アップル、メタ）を巻き込んで、2大勢力による激しい攻防が繰り広げられている。

しかし、戦いの結果は見えてきた。ウクライナ戦争はロシアが勝利し、イスラエルのネタニヤフ首相は第3次世界大戦を起こせていない。アメリカ軍やトランプ（本物）、イーロン・マスクらを味方に付けた改革勢力が、ハザールマフィアの謀略を打ち砕き、大掃除に成功しつつある。アメリカ帝国の消滅も近い。

ここから先はさらに深く、「EUの崩壊」、「世界の舞台に躍り出たブリックス（ブラジル、ロシア、インド、中国、南アフリカ共和国）」、「多極化する世界」をテーマに世界の真実と行方を解説しよう。

◆ウクライナとパレスチナの現在

ロスチャイルドをはじめとするハザールマフィアらが数百年前から計画してきた「ウクライナにハザール王国を復活させよう」という動きが、もうすぐ頓挫（とんざ）しようとしている。

もう1つの〝ロスチャイルド国家〟であるイスラエルも、アメリカから資金援助も軍事支援も得られず、存亡の危機に立たされている状況だ。

現在、ウクライナでは、前線に送られた大部隊が次々とロシアに降伏している。各国からの支援も止まり、ウクライナ陣営は崩壊寸前だ。ペンタゴンの監査部門の調査によると、アメリカのウクライナへの1130億ドルの支援のうち、3割しかウクライナに行ってないという。

しかもゼレンスキー大統領はすでに「国家反逆者」としてウクライナ検察に起訴されている。

ゼレンスキーは「支援の呼びかけ」を口実に海外を転々としているが、ウクライナに戻れば逮捕されるのは必至の状況である。ウクライナ戦争はウクライナの敗北で決着がついている。

情報筋は「今後、ウクライナ領土の一部、場合によっては、すべてがポーランドやロシア、さらにルーマニア、ハンガリーなどに併合される予定だ」と伝えている。

大事なのは、アメリカやヨーロッパ、日本からもウクライナ、イスラエルにお金が行かなくなったことだ。これはとても大きい。実際に、さまざまな内部告発や暴露が出ている。

2024年3月、米ニューヨーク連邦地裁は、詐欺などの罪で経営破綻した暗号資産

（仮想通貨）交換所大手、ＦＴＸトレーディング創業者サム・バンクマン＝フリードに対し、懲役25年の判決を言い渡した。

ＦＴＸの顧客が80億ドル、ＦＴＸの株式投資家は17億ドル、バンクマン＝フリードが設立した投資会社（アラメダ・リサーチ）の貸し手は13億ドルを失ったという。

ＦＴＸは２０１９年にバンクマン＝フリードが設立し、成長に次ぐ成長で世界最大級の規模の暗号資産の交換所となった。２０２３年11月初頭、財務面の問題が指摘されると、投資家たちが一斉に資金を引き上げ、経営破綻した。

「暗号通貨王」バンクマン＝フリードは、２０２０年、ロシアのウクライナ侵攻の動きに乗じ、ＦＴＸを利用しているウクライナのユーザーに１人25ドルを寄付することを公表し、ウクライナ政府と仮想通貨募金サイトを設立、世界中から支援資金を集めていた。

詐欺によってだまし取った資金はアメリカの民主党に流れたという。

アメリカがウクライナに送った支援金は、いったんウクライナの中央銀行に入った。そして、ウクライナの中央銀行から暗号通貨にロンダリングされて、アメリカのクリントン財団などに渡った。その金がアメリカ国内、ヨーロッパ国内の政界への賄賂のため

2024年4月1日、イスラエルがシリアの首都ダマスカスにあるイラン大使館を空爆。イラン革命防衛隊の精鋭「コッズ部隊」の将官ら13人が死亡した

に使われたのだ。そのお金が流れなくなった。

2024年4月1日、狂信的思想を持つネタニヤフと、彼を取り巻く連中が、シリア国内にあるイラン大使館を空爆した。

この状況では、国際法上「イランにはイスラエルに反撃する権利がある」ということになる。つまりイランを挑発して戦争へと発展させ、あわよくばアメリカを巻き込んで「世紀末戦争（ハルマゲドン）」を起こそうという魂胆だ。彼らは法の裁きを逃れ、すべてを有耶無耶（うやむや）にして逃げ切れると本気で信じている。

しかし、アメリカのバイデン政権は、国内外に広がる圧倒的な反イスラエル世論に屈し、イスラエルを守るために国連で拒否権を発動することを断念した。

今後、イランとイスラエルが戦争を始めたとしても、アメリカはイスラエル政府を守るために戦うことはないだろう。その場合、イスラエルが自力でイランに勝つのは不可能だ。

ペンタゴン筋によると、アメリカ軍はバイデン政権やイスラエル（テロ戦争派）のためにロシアやイランと戦争するつもりはさらさらないという。
これではイスラエルが降参するのも時間の問題である。西側欧米勢がウクライナ戦争ですでに完全敗北していることも公然の事実だ。それらすべてのことがハザールマフィアの劣勢を明確に物語っている。
イスラエルが崩壊すれば、連鎖的に既存体制の権力者らがドミノ倒しのように次々と失脚していくことになる
ガザ地区で彼らが大量虐殺を始めてから、アメリカとイスラエルの孤立は急速に加速している。イスラエルのネタニヤフ首相は、今や国内でも完全に追われる身である。イスラエル市民によって彼が電柱に吊(つ)るされる日も、いよいよ現実味を帯びてきた。

◆爆発する大衆の怒りと不満

ヨーロッパでは、今、フランスやドイツ、オランダ、ポーランドなど多くの国々で農家やトラック運転手たちが、生活苦を理由に大規模な反政府デモを繰り広げている。

さらに鉄道職員たちもストライキに突入した。それに伴い各国の流通は麻痺し、政府も揺らぎ始めている。騒動はエスカレートし、欧州各国で軍事クーデターの機運が高まっている。

フランスでは、2024年に入ってさらに激しさを増し、各地で数百台のトラクターに乗った農家が集結し、高速道路や幹線道路、町の中心部を占拠し、物流や交通に大きな混乱がでている。

農民たちの怒りは、インフレや燃料費の高騰などを背景に、EUが域内の農家に求める環境規制「欧州グリーンディール」が厳しすぎて「これではやっていけない」という不満だ。温室効果ガス規制等の締め付けに以前から抗議の声を上げていた酪農・畜産業に加えて、栽培農家が加わり、その規模は爆発的に増大した。

欧州グリーンディールはEUが2019年に発表した、気候変動や生物多様性に配慮しながら経済成長を目指す行程表のこと。農業分野において、2030年までに、農薬の使用を半減させることや、肥料の使用を削減すること、全農地の25%を有機農業とすることなどを定めている。また、EUは、2023年から農地の一定の割合を休耕地と

ヨーロッパの農民たちの怒りは頂点に達している。日本ではほとんど報道されない

2024年1月25日、フランス西部、ブルターニュ地方のレンヌの中心街を行進する農業トラクター

2024年1月8日、ドイツの首都ベルリンのブランデンブルク門に集結した700台を超える農業トラクターのデモ行進

し、作付けを行わないことも決めた。

さらに、フランスでは、燃料費の高騰が続く中で、農業用ディーゼル燃料に対する減税措置の打ち切りへの反発から抗議の動きが全国に広がった。

一方、暴動の背景には、アフリカでのフランス離れの影響もある。

2023年8月、クーデターがあったのはアフリカ中部のガボンだ。ここでクーデターが起きた。ここ数年では、ニジェール、ブルキナファソ、スーダンなど、アフリカの旧フランス領でクーデターの連鎖が起きている。

アフリカ諸国がフランスの穀物を買わず、アフリカからも資源が来なくなったことが、フランス経済を直撃している。

ヨーロッパでは、ロシアによる軍事侵攻で黒海から輸出できなくなったウクライナ産の安価な農産物の流入もある。同様の不満の声がフランス以外のヨーロッパの国の農家からも上がり、ドイツやベルギー、ポーランドなどでも農家による抗議デモとなっているのだ。

この抗議デモは、最初は、環境規制など農家に対する国の政策に反発して始まった動きだったのだが、いつの間にか「政府を転覆させること」へと目的が拡大している。

そして、ヨーロッパでは、アメリカと同様、移民の大量流入と治安の悪化がエスカレートし、愛国派の政党が各国で勢力を伸ばしている。

ドイツで支持率が急上昇している極右とされる政党「ＡＦＤ（ドイツのための選択肢）」の議員が掲げるマニフェストは以下の通りだ。

「私たちは何百万人もの外国人を祖国に送り返します。これは秘密の計画ではありません。これは約束です。さらなる安全のため、さらなる正義のため、我々のアイデンティティを守るため、ドイツのために……」

また、オランダでは、２０２３年11月に行われた下院選で「反移民・反ＥＵ」を掲げる極右政党、自由党（ＰＶＶ）が議席を大幅に伸ばし、第1党に躍進している。

さらにアイルランドでは、移民男性が首都ダブリンの路上で幼児3名を切りつけた事件に端を発し、反移民を訴える抗議デモが暴動に発展。現在、移民流入を止めるため市民らによって複数の道路が封鎖されている。

もちろん、こうした状況はオランダやアイルランドだけではない。ＥＵ域内の多くの国で大衆の怒りや不満が爆発している。

そもそも気候変動とは、「地球温暖化」の進行によって地球全体の気候が大きく変わることを指している。気候変動が進むと、干ばつや洪水が増えたりすることで、農作物が育たなくなり、食糧不足になるとされている。

地球温暖化や気候変動の問題は、支配階級である欧米エリート、ハザールマフィアたちが流してきたデマである。「環境に優しい政策」を世界の人々に押しつける真の目的は、「食糧危機を起こすこと」だという。それを理由に一般民衆を自分たちが管理する食糧に依存させるためだ。

ヨーロッパ各地で沸き起こる農民たちの反政府運動は、ハザールマフィアへの戦いである。

◆空中分解するNATO

イエローペリル（黄禍論（おうかろん））という言葉がある。19世紀末に欧米諸国で用いられた黄色人種警戒論で、世界の中で日本などアジア勢力の台頭を警戒し、押さえつけようという発想で生まれた。

ドイツ皇帝ヴィルヘルム2世（在位1888－1918年）は、かつてのオスマン帝国やモンゴル帝国のヨーロッパ侵攻を念頭に、ロシアは地理的に「黄禍」を阻止する前衛の役割を果たすべきであり、ドイツはロシアを支援すると主張した。

私はヴィルヘルム2世と同じように、西ヨーロッパの防衛はロシアが担当するのが、妥当だと思う。安全保障の面において、ロシアならば隣国の中国ともうまく対処できるはずだ。地政学的に言っても、ユーラシア大陸は海洋国家であるアメリカ、イギリスの出番ではない。

ＮＡＴＯ（北大西洋条約機構）は、もともとソビエト連邦に対抗するために生まれた軍事同盟だ。１９４９年の設立当初、イギリス、フランス、アメリカなど12か国でスタートし、現在、ドイツや東欧諸国、トルコなどを含む32か国が加盟している。２０２４年2月には、スウェーデンの加盟が承認されている。

そうすると、ＮＡＴＯはソ連が崩壊した１９９１年時点で、存在意義がなくなり、もはや質が変わってしまった。

ロシアのウクライナ侵攻の背景には、ウクライナがNATOに加盟しようとしたことと、NATOの東方拡大がある。

タッカー・カールソンのインタビューで、プーチンはこのように語っている。

プーチン　NATOの東方拡大についてです。我々は約束されました、東には1インチたりともNATOを広げない、と。で、どうなりました？　彼らはこう言いました。

「文書で約束したわけではないですから。我々は拡大しますよ」と。バルト3国、東欧全体など、5つの拡大の波がありました。

2008年、ブカレストでの首脳会談で、彼らはウクライナとジョージアがNATOに加盟する門戸(もんこ)は開かれていると宣言した。ドイツ、フランス、そして他のいくつかのヨーロッパ諸国はこれに反対しているようでした。

しかし、ブッシュ大統領は、とてもタフな男で、タフな政治家で、後で聞いた話では、「ブッシュが我々ウクライナに圧力をかけたので、我々は同意せざるを得なかった」ということです。滑稽な話です。まるで幼稚園みたいです。

プーチンは、１９９０年代初めに、ＮＡＴＯは１インチも拡大しないとロシアに約束したのに、口約束だったのでそれを平気で破って、西側は１９９７年以来次々とＮＡＴＯ拡大を続けてきた、と怒っている。

このＮＡＴＯの東方不拡大の根拠となる「ＮＡＴＯは１インチも拡大しない」という発言は、１９９０年2月、アメリカのベイカー国務長官が、ソ連のゴルバチョフ大統領に約束したとされる。

かつてブッシュ（父）は、ロシアにアメリカと共同でミサイル防衛システムを作ろうと提案した。そうすると標的は中国しかいない。

そもそもヨーロッパ人がロシアに頼んで、「私たちを黄色人種から守ってください」と言うのが本来の考え方のはずだ。

今、「ＮＡＴＯはロシアと戦うべきだ」と公言しているのは、フランスのマクロン大統領とイギリスのリン・スナク首相、アメリカのオースティン国防長官ぐらいだ。

ドイツのショルツ首相やＮＡＴＯのストルテンベルグ事務総長は「ＮＡＴＯはロシアと戦わない」と明言している。

また、ショルツ首相は、２０２２年のウクライナのクリミア橋の爆破にドイツ軍幹部が関与したことを暴露した。これは、ドイツ軍の幹部たちが、ドイツ製のミサイルでクリミア橋を爆破し、どうやってうまい具合に責任逃れするかを話し合っている録画テープを公開したものだ。ショルツは自分の軍の企みをロシアにもリークしている。このニュースが、なぜか、表のニュースでは、ドイツ空軍のオンライン会議がロシアによって盗聴されたという、今年3月に流れたニュースの真相なのだ。いかに真実が、表のニュースでは歪んだ形で出ているか、これを見てもわかるだろう。

もうドイツは公にウクライナを支援しないし、ウクライナ絡みでロシアと戦うつもりはない。

今、アメリカとイギリスはドイツとの参謀協力をやめている。これは、ドイツが自主的に独立宣言したと言っていい。ドイツのＮＡＴＯからの離脱も実質的に起きている。

今後、ドイツが実質的にＮＡＴＯを離脱するという前代未聞的なことが起きるかもしれない。

いくらロスチャイルドの息のかかった欧米指導者たちが「ＮＡＴＯ対ロシア」の戦争を勃発させるため、いろいろと好戦的な発言を繰り返して煽っても、ＮＡＴＯ本部はロシアと戦うつもりはさらさらない。何より、欧米諸国のウクライナ支援（武器や資金）は完全に止まっている状況だ。

バイデン大統領ではなく、実際にアメリカ軍を指揮しているトランプも、「アメリカはＮＡＴＯのために戦わない」と宣言している。

もはやＮＡＴＯは空中分解しているのだ。

ロシアがＮＡＴＯに入れなかったのは、ハザールマフィアによるロシア潰しのキャンペーンがあったからだ。ロシアは脅威でも何でもない。ハザールマフィアの勢力が衰えた今、ロシアのＮＡＴＯ加盟が実現するだろう。これまでの常識は変わるのだ。

◆マクロンの秘密

フランスのエマニュエル・マクロン大統領には秘密がある、まだ公になっていないビッグニュースがあるのだ。

マクロンの妻ブリジットは、マクロンの24歳年上で年の差婚はよく知られている。

マクロンがブリジットと知り合ったのは、15歳の時、ブリジットはマクロンの通う学校の国語(フランス文学)教師だった。教師と生徒の関係でただならぬ恋に落ちたのだ。

ブリジットの長女ロータンスはマクロンの同級生だったのも異様だ。

2人が結婚したのは、2007年10月のこと。当時、マクロンは29歳で、ブリジットは54歳だった。ブリジットは3人の子供を連れてマクロンと結婚するために、地方銀行員の夫と離婚している。

そのマクロンの妻ブリジットは、トランスジェンダーで、じつは男性だというのだ。

ニューズウィークによると、アメリカの保守系政治評論家キャンディス・オーウェンズは、マクロンの妻ブリジットは男性であることに、自分のキャリアを賭けてもいいと発言した。

オーウェンズは、「調べてみたが、ブリジット・マクロンは男だということに、プロとしての名誉を賭けてもいい」「この妥当性を否定しようとするジャーナリストや出版物は、すぐに体制側だとわかる」とX（旧ツイッター）に投稿した（2024年3月12日）。

オーウェンズは、「もしブリジットが本当にこの説を否定したいのであれば、30歳以前の写真を公開すればいいだけだ」と主張している。

この手の話は、アメリカのバラク・オバマ元大統領の妻ミシェルのほうが有名かもしれない。ミシェル・オバマの本名はマイケル・ラボーン・ロビンソン（ニックネームはビッグ・マイク）で、男性だというのだ。

ネットで「ビッグ・マイク」と検索すると、ハワイにいた時、ミシェルが男性の姿でオバマと写っている写真や、車に乗ろうとしているミシェルの下半身が明らかに勃起している動画など、たくさん出てくる。頭がおかしくなりそうで、みんなが拒絶反応を起こしている。

ミシェル・オバマの本当の名前は「ビッグ・マイク」

フランス大統領夫人ブリジット・マクロン（右上）はトランスジェンダーで、元は男だと強硬に主張するキャンディス・オーウェン（左上）

ブリジットは2022年2月、フランス国内での噂の発信者を民事提訴、だが2023年3月、提訴は棄却された。刑事での立件が可能か現在審理中だという

右はあまりに有名になり過ぎて、もはや誰も否定しなくなった「ミシェル・オバマ＝男性説」の決定的１枚

マクロンの場合、さらに奇妙な話がある。

マクロンは元々ロスチャイルド銀行に勤めていたのだが、じつはロスチャイルド一族の出で、妻のブリジットも同様にロスチャイルドの名を持つという。

そうなると、2人の関係は、叔父（ブリジット）と甥（エマニュエル）。叔父と甥が夫婦のふりをしているというおかしなことになる。ヒトの嗜好はさまざまだろうが、まったくもって訳がわからない。

問題は、マクロンもオバマも秘密を隠していることだ。隠していると、「みんなにばらすぞ」と脅されて、命令に従わなくてはいけない。権力者は、言うことを聞かせるためにとんでもない脅迫材料を探している。

こんな話を、外交官をしていた私の父から聞いたことがある。冷戦時代、父がカナダの外務省に勤務していた時、職員の1人の男性が、同性愛者ではないかと疑われた。

安全保障のグループ、いわゆるスパイ防止担当の部署の人が、その人に質問をぶつけた。

「あなたは、ホモだと疑われてるよ」と。

「それが何だって言うんですか。私、ホモですから」と返したら、「ああ、それなら大丈夫」と立ち去っていったそうだ。

本人が認めていると脅迫材料にならない。

かつてイギリスの首相のエドワード・ヒース（在任１９７０−１９７４年）は、14歳の少年とセックスしている姿を録画され、脅迫されていた。その結果、イギリスは独立を諦めて、ＥＵに加盟した。国家安全保障に関わる重大な問題だ。

マクロンもオバマも大統領になった時に、ブリジットやミシェルを紹介する際、本来ならば「この人はトランスジェンダーです」と言っておくべきだった。

今や、ミシェル・オバマだけでなく、ブリジット・マクロンも男性だというのは公然の事実となっているようだ。

◆ロスチャイルドの「人間牧場計画」

ロスチャイルド家は、ロンドン家当主のジェイコブ・ロスチャイルド（２０２４年2月、死去）に代わって、パリ家当主のダヴィド・ド・ロチルドがヨーロッパ全体の王座に君臨している。

今、フランスのシャルル・ド・ゴール第18代大統領の孫など愛国者たちが、ロスチャイルド一族をフランスから永久追放しようと戦っている。

先日、その愛国者グループから告発のメッセージが送られてきた。

フランスはダヴィド・ド・ロチルドが支配している。彼はフェリエール城で悪魔主義者の儀式（乱交パーティ）を開催していた父ギー・ド・ロチルドからフランス支配の全権を引き継いだ。

ダヴィド・ド・ロチルドは世界ユダヤ人会議の理事長であるため、彼についてはいろいろと探（さぐ）ってきた。彼らは近親相姦を繰り返して出来上がった一族だ。親族以外を信用しないため、必ず親族を大事な役職に置く。

彼らはパリこそが本当のエルサレムだと考えている。彼らはパリから世界を支配するつもりだ。彼らはイスラエルにいるユダヤ人が全滅しても構わないと思っている。そして、エマニュエル・マクロンの役割はイザヤ書の預言に基づいて彼らの妄想を実現することだ。

ここに出てくるイザヤの預言（書）は、旧約聖書の中でもっとも有名なもので、神の誕生と悪魔（サタン）との対決が預言されている。

ロスチャイルドは悪魔崇拝の世紀末思想を持ったカルト集団である。長年の研究と調査の末、私がたどり着いた結論は、彼らフランスの愛国者と同じだ。

ロスチャイルドは、長年に渡り、欧米の金融システムを乗っ取ってきた。そして、２０２０年から、生物兵器（新型コロナ）とワクチンによって世界人類を抹殺しようと企（たくら）んだ。

しかし、その謀略は失敗に終わり、彼らの悪事は多くの真実を追求する人々の知るところとなっている。今、法の網が各方面から彼らに迫っている。情報筋の話では、ロスチャイルドは降伏する条件として恩赦を要求しているという。

交渉を申し入れたのはダヴィド・ド・ロチルド本人で、その相手は、イギリスに本部を置く３００人委員会のトップに立つ人物と、欧米軍産複合体の改革派の代理人だそうだ。

それでは、延命を図るロスチャイルド一族は何を企んできたのだろうか。

それがまさしく「人類家畜化計画」であり、地球を人間牧場にすることである。自らが神となり、他の国民や民族を家畜にするという狙いだ。

薬事規制当局国際連携組織によると、新型コロナワクチンは２０２３年3月までに、世界中で１３０億回以上の接種が行われたという。これには、小児および妊婦への何億回ものｍＲＮＡワクチンの接種が含まれる。

ファイザーやモデルナなど、ヒトゲノムを変えるｍＲＮＡワクチンには、快楽物質で人をおとなしくする作用が組み込まれているという情報もある。

ロックフェラー研究所でのマウスを使った実験では、マウスにそのワクチンを注射すると、脳内の快楽物資、ドーパミンが爆発的に増え、何が起きても幸せで楽しい、多幸(たこう)感(かん)を味わえるという。たとえ家族を殺されても不満を言わない、我慢強く現状を受け入れ、すべて満足する、まさに「家畜人間」である。

ハザールマフィアはさらなるワクチンの強制接種も計画しているという。ロシアのFSB筋によると、そのワクチンを打てば人類は完全に家畜化されるそうだ。

ちなみに、厚生労働省の発表によると、日本での新型コロナのワクチンの接種回数は4億3619万回（2024年4月時点）。日本が世界一である。

ハザールマフィアがその次に狙うのは、地球温暖化と気候変動のデマに乗じた、食糧危機、飢餓危機を起こすことだ。

2008年の国連のリポートに「飢えている人のほうがよく働く」という報告がある。だから今、ハザールマフィアは、とどめの一手として食糧危機を起こそうとしている。人は貧困に陥ると、今日のご飯のことしか考える余裕がなくなる。とにかく働かないと食えないし、革命を考えている場合ではない。そうすると、人はさらに従順になり、管理しやすい。

ハザールマフィアが企む「食糧危機」の創出には、そういう狙いがあるのだ。

バブル崩壊以降の30年間、日本の貧困化は進み、国民はギリギリの苦しい生活を強いられている。アメリカもそうだ。4400万人のアメリカ国民が明日の食糧のことに悩んでいる。

今、ヨーロッパ各地で農民たちが大暴動を起こしている。世界各地でも反政府デモの火の手が上がってきた。

加えて、BRICS（ブラジル、ロシア、インド、中国、南アフリカ共和国）各国や反西側諸国も、この恐ろしいハザールマフィアに反発している。

ハザールマフィアが支配するEUはすでに崩壊している。世界革命は始まったのだ。

◆EUの崩壊と待ち受ける未来

長く欧米を支配してきたハザールマフィアの2大派閥、「テロ戦争派」と「気候変動派」は、いずれもすでに失脚している。

ロスチャイルドの血を引くフランスのマクロン大統領は、ヨーロッパのテロ戦争派の大将の1人だろう。

2024年2月、ウクライナの劣勢が決定的となり、ロシアの勝利がほぼ確定した中、マクロンは、パリに欧米約30か国の首脳を招き、ウクライナ支援について話し合う国際会議を開いた。マクロンは、ウクライナにＮＡＴＯ軍を派遣し、ロシアと戦う好戦的な姿勢を示したが、ここでも、アメリカやドイツのショルツ首相、ＮＡＴＯのストルテンベルグ事務総長はマクロンに同調しなかった。

先日、フランスの軍幹部筋から、「マクロン大統領がロシアとの戦争準備を始めるよう軍に指示を出した」との情報も寄せられてきた。もちろん世界大戦を勃発させるためだ。

しかし、米軍と同様、仏軍はマクロンの命令に従っていない。マクロンが試みた「第3次世界大戦勃発」の工作は孤立無援のうちに失敗に終わった。

現在、アメリカと同じようにイギリスも、ハザールマフィア派と改革勢力の2大派閥に大分裂して反目し合っている。

ウクライナを支援するハザールマフィア派には、リシ・スナク首相や官僚組織のトップであるサイモン・ケース内閣官房長官がいる。ウクライナを支援し、ロシア攻撃を言い立てている。

一方、私と連絡を取っているＭＩ６は、ウクライナを支援していない。ＭＩ６の内部も分裂している。反ハザールマフィアのＭＩ６は、うかつにはハザールマフィアの計略には乗らないのだ。

今、キッシンジャーの死去により欧米権力に居座っていた長老はほとんどいなくなった。残っているのは世界経済フォーラム（ダボス会議）の会長でロスチャイルド一族のクラウス・シュワブくらいだろう、と思っていたら、第3章で述べたとおり、シュワブもすでに粛清されたという情報がＭＩ６筋から入ってきた。

シュワブが生きていようと死んでいようと、彼とその取り巻きの立場は大きく揺らいでいる。彼の権力基盤であるＥＵが危機的な状況に陥っているからだ。

それでは、ハザールマフィアの気候変動派の現状は、どうなっているのだろうか。

２０２３年12月、地球温室効果ガスの排出削減目標や気候変動への対策について議論する「ＣＯＰ28」（国連気候変動枠組条約締約国会議）がドバイで開催された。

ウソの地球温暖化を利用し、ＣＯＰを演出してきたのは、イギリスに本部を置く「３００人委員会」である。

2023年12月、気候変動サミット（COP28）のために ドバイに集まった「気候変動派」の要人たち。チャールズ英国王の姿も見える

合意文書には、当初案にあった「廃止」や「削減」の文字はなく、目標達成までの道筋がまったく示されていなかった。ただ、各国に「気候変動対策のため」と称して兆ドル単位のお金を出すようにという要請だけはあった。
その後、彼らはみんなプライヴェート・ジェットで帰国の途についた

今回のCOP28の合意文書を見て、世界中の環境活動家たちは唖然（あぜん）としたという。当初案にあった「廃止」や「削減」の文字はなく、目標達成までの道筋がまったく示されていなかった。

さらに、このCOP28では、イギリスのチャールズ国王をはじめ欧米の要人たちが、「気候変動の対策のため」として世界各国に兆ドル単位のおカネを拠出するように要請していた。しかし、結局のところ、ほとんど集まっていない。

「気候変動」のキャンペーンを推進していたハザールマフィア、欧米権力の派閥には、資金力も権力もないことがはっきりした。ハザールマフィアの大掃除は確実に進んでいる。

第5章

ハザールマフィア亡き後の多極世界

——世界の中心に躍り出るＢＲＩＣＳ

◆新BRICSは10か国。今後ますます増える

カザフスタンの首都、アスタナは、近未来的な建物が立ち並ぶ、不思議な景観の近未来都市だ。ハザールマフィアは、今、エルサレムに次ぐ新しい都としてアスタナを建てている。

だが、これまで述べてきたとおり、ハザールマフィアという悪魔崇拝カルトの世界支配計画は、もうすぐ終わりを迎えようとしている。魔界の景観を持つアスタナを使っての最後の悪あがきもどうせ彼らの思いどおりには行かない。

なぜなら、ハザールマフィアによる欧米の支配体制がすでに崩壊しつつある。アメリカ〝帝国〟はもう消滅の瀬戸際に立っているのだ。

それでは、これから起こるアメリカ帝国消滅後の世界は、一体どうなるのだろうか。

人類を5000年に渡って支配してきた悪魔崇拝のカルト、ハザールマフィアが目論むのは世界最終戦争だ。世紀末の世に、ゴグとマゴグの2大大国を同士討ちさせ、人類

ハザールマフィアがエルサレムに次ぐ新たな都と定めたカザフスタンの首都アスタナには不思議な景観が溢れている。不死鳥とピラミッド（上の写真の池の形が、不死鳥）

（https://archive.vn/KTgXn）

の9割を殺し、残る1割の人々を自分たちの家畜にするという計画だ。

この計略も、トランプが米大統領になった2016年までは、おおよそシナリオ通りだった。20世紀以降、ロックフェラー家によってアメリカが世界帝国となった。もう一方の敵は、冷戦期はソビエト連邦だったが、1991年のソ連崩壊後は中国が台頭してきた。

2つの大国間の力のバランスを取るために、中国の繁栄に力を貸したのが、アメリカのニクソン大統領と国務長官を務めたキッシンジャーだった。

2000年以降の中国の成長ぶりは目覚ましい。2014年には、ついに、購買力平価GDP（国内総生産）において、中国はアメリカを抜き、世界一の経済大国になった。これでゴグとマゴクは出そろった。世界最終戦争のお膳立ては整ったのだ。

2020年、ハザールマフィアは一気に勝負をかけた。新型コロナとワクチンで世界の人口を減らし、長年言い続けてきた地球温暖化と気候変動のデマで食糧危機を起こす。ロシアのプーチンをけしかけて、ウクライナ戦争を勃発させた。さらに、イスラエルのネタニヤフにガザ地区での大量虐殺を実行させた。

ハザールマフィアは第3次世界大戦を起こし、世界最終戦争に持ち込むつもりだったのだ。その自作自演の謀略は改革勢力によって見抜かれ、完全に失敗に終わった。

アメリカを乗っ取ったのは、ユダヤ人優越主義を主張するハザールマフィアだ。彼らが今のウクライナの地にハザール王国の復活を目論んだ。自分たちの一族による世界制覇を狙っていたのだ。

しかし、そのイスラエルとアメリカを管理していたグループが負けた、そうするとその人たちの計画通りにはいかない。

そこで今、世界はもう1つのシナリオに沿って動いている。

2024年1月1日、BRICS（ブリックス）が10か国に拡大した。中国とロシアが主導するBRICSは、アメリカが強い影響力を持つG7（主要7か国）に対抗し、独自の国際秩序の構築を目指している。

当初のブラジル、ロシア、インド、中国、南アフリカの5か国に、新たに、エジプト、エチオピア、サウジアラビア、アラブ首長国連邦（UAE）、イランが加盟し（アルゼンチンは土壇場で不参加。後述する）、世界の中心に躍り出た。

ロシアと中国が主導する拡大ＢＲＩＣＳは、世界の人口の45％、ＧＤＰ（国内総生産）の36％を占め、Ｇ７（アメリカ、ドイツ、日本、イギリス、フランス、イタリア、カナダ）のＧＤＰ30％を超えている。

２０２４年のＢＲＩＣＳサミット（首脳会合）は10月、ロシアのカザンで開催される。それに向けて34か国が加盟に関心を表明しているという。

今、ＢＲＩＣＳと上海協力機構（中国とロシアが主導。中国、ロシア、インド、パキスタン、ウズベキスタン、カザフスタン、キルギス、タジキスタン、イランの９か国が加盟）で、世界ＧＤＰと世界人口の８割を占めているという。

また、２０２３年10月、北京で行われた中国が主宰する「一帯一路サミット」には、41の国際機関１５１か国が集まった。

つまり、世界の８割の国が欧米主導で築かれた国際枠組みから離れ、中国のほうに目を向けているということだ。その理由はイデオロギーというより「おカネ」である。

中国が提唱した一帯一路（シルクロード経済圏）の構想により、約１５０兆円がインフラ整備や学校建設などのために発展途上国で使われた。

西側のマスコミでは悪評ばかりが報じられているが、一帯一路により世界の4000万人が貧困から脱した。さらには世界中から1兆ドルの投資を呼び込んで、3000以上のプロジェクトと42万人の雇用を生み出したことは事実だ。

今年、BRICSに中東、アフリカ諸国が加わった。今後、アフリカ、アジア、ラテンアメリカに位置するグローバルサウスの国々が雪崩(なだれ)を打って加盟するだろう。アメリカが主導するザ・ウエスト(西側諸国)と、中国が率いるザ・レスト(西側以外の国々)の戦いが始まっている。

早々にアメリカが降参しなければ、BRICSによる制裁は拡大し、西側の経済は壊滅してしまうだろう。欧米の改革勢力は、それを回避するために悪魔崇拝のハザールマフィア退治を加速させているわけだ。

◆近代西欧の世界支配の終焉と多極化する世界

西欧支配の時代は確実かつ決定的に終わった。ＢＲＩＣＳが台頭し、今の国際的な緊張が、このまま西側（ザ・ウエスト）対残りの国々（ザ・レスト）の方向に動いていくならば、アメリカの将来は危うい。

情報筋によると、今、ドイツがＢＲＩＣＳに加盟しようと動いているという。英語で、If you can't beat them, join them.（イフ・ユー・キャント・ビート・ゼム、ジョイン・ゼム）、「負かすことできないのだったら、参加したほうがいい」という言葉がある。

負けることがわかっているので、ＢＲＩＣＳとは、仲良くしたほうがいいのだ。実際、ドイツはその方向に行こうとしている。

イギリスは、２０２０年1月、ＥＵを離脱（ブレグジット）し、中国と手を組んでいる。中国が２０１４年から押し進める「一帯一路」は、じつは中国とイギリスの共同プロジェクトである。イギリスは中国と新しい枠組みを作ろうとしている。

今、世界の多くの国が、国連やＩＭＦ（国際通貨基金）、ＢＩＳ（国際決済銀行）、ＷＨＯ（世界保健機関）など、戦後のアメリカ主導の世界体制を拒否している。

アメリカが支配する世界の枠組みが急激に変わり、ＢＲＩＣＳをはじめとするまったく新しい経済社会体制が生まれてきている。世界は多極化しているのだ。

一番わかりやすい例は、ネタニヤフ首相が先導するイスラエルだ。２０２３年12月に、国連総会で行われた「ガザでの即時停戦を求める決議案」の採決で、アメリカとイスラエルの立場を支持したのは国連加盟１９３か国中8か国だけだった。これにより、第3次世界大戦を勃発させようとしてきた欧米権力のテロ戦争派は完全に孤立した。

イスラエルは、ガザ地区での大量虐殺によって世界から嫌われ、村八分になっている。イスラエルに味方するアメリカも同様だ。アメリカとイスラエルは今、ますます孤立化している。

現在、東西の結社筋の話し合いで、多極化する世界に合わせ、今後の世界のあり方についての次のような案が検討されているという。

国連の安保理（安全保障理事会）の常任理事国において、拒否権を持っている5か国

（フランス、イギリス、アメリカ、ロシア、中国）のうち4か国は欧米だ。これでは、世界人口と経済の実態から見てあまりにもバランスを欠き、各地域で大国が存在する世界の現実を表していない。

そこで世界を7つに分ける。アフリカ、イスラム圏（中近東）、インド、東アジア、中国、ロシアを含むヨーロッパ、アメリカ大陸の7エリアだ。当然、日本は東アジアに含まれる。

そして、たとえば、アメリカ大陸エリアにおいて、仮に新生アメリカが拒否権を持つとすると、その拒否権は自分のエリアだけに限定される。

今後、ガソリン車の使用を禁止するという決まりがあっても、中近東のイスラム圏である国が反対すれば、イスラム圏のエリア内では使い続けられる。これまでの国連の安保理に代わって、各地域の大国にきちんとした責任と役割を果たしてもらうという考え方である。

フランスでは、一般市民の激しい抗議活動が止まらない。フランス軍のアンドレ・クストゥ元将軍が、マクロンを「フランスの敵」と吐き捨てるように言い放っている動画

「マクロンはフランスの敵」(Macron, 《 l'ennemi de la France 》)と吐き捨てるように言い放ったアンドレ・クストゥ元将軍

アンドレ・クストゥ

フランス軍も「反マクロン」で動いているようだ

が出回っている。フランス軍も反マクロンで動いているようだ。マクロン大統領が権力の座から追われる日が近づいている。新しい世界体制では、ヨーロッパはロシアが管理するようになる。これはすでに既定路線だ。

アメリカのバイデン大統領とイスラエルのネタニヤフ首相も、マクロンと同じように落城（らくじょう）待ちだ。公の場から消える日が近い。

イエメンの親イラン武装組織、フーシ派がアメリカとイスラエルを標的にした商船攻撃を活発化させ、事実上スエズ運河（紅海）を封鎖している。それと同時にイランのイスラム革命防衛隊（ＩＲＧＣ）がアメリカ海軍に対してペルシャ湾からの強制退去を命じた。

２０２４年4月、イスラエルによるシリアのイラン大使館への攻撃を受け、イランの国連副大使ザフラ・エルシャディが国連安保理に対して「イスラエルへの断固たる措置」を呼びかけた。これによりロシア、中国、トルコなどの国々が、イランとともに一斉に「対イスラエル行動」を起こすことも十分に考えられる。

現在、ロシアはシリアで大部隊を編成してイスラエルへの侵攻の準備を進めているようだ。他の中近東の国々も全面的に支持している。

もっとも、イラン当局としては、その攻撃が全面核戦争を引き起こすための挑発であることはわかっていたため、イスラエルに対する反撃は最小限に止めている。

こうして世界の動きを見ていると、これから多くの国々で「既存体制の崩壊」が始まるのは間違いない。問題は「ハザールマフィアがまだ悪あがきをする余力を残している」ということ。そのため、しばらくは世界中で危険な状況が続くことになりそうだ。

1991年のソ連崩壊後、アメリカが世界を圧倒的にリードしてきた時代が終わろうとしている。大きくは、国連、IMF、世界銀行、BISに代表される第2次世界大戦後の国際枠組みが消滅しつつある。

もっとスケールを大きくすると、400年続いた欧米の世界覇権が終了している。

さらに大きくすると、何千年前から始まった一神教による世界支配計画の終わりだ。一神教は、最後に1人の神を世界の王者にする。その一神教の「千年計画」も頓挫しようとしている。

アメリカの一極支配の終わり、戦後体制の終わり、一神教世界制覇の終わり、引いてはバビロニア式の借金奴隷帝王学の終わりである。

これから、多くの国で既存体制の崩壊が始まるのは間違いない。戦後の西側を中心とした世界体制の終わりが宣言された。

ロスチャイルドやロックフェラーなどハザールマフィアに私物化されてきた国々が、それぞれに変化を迎えようとしている。同時に、この状況は、全人類にとって「人間牧場」からの解放が近づいているサインであることも確かだ。

◆新しい世界経済システムと新基軸通貨

世界の人々はみな同じ海を使っている。同じ空気を吸っている。だから共通の問題を解決する場は必要だ。

どんな小さな村でも、人の家に入って物を盗んだりとか、人の奥さんを犯したりとか、路上で排便したりすることは禁止だ。

しかし、今の国際社会はそうではない。お金を盗んでも、戦争を起こして大量虐殺をしても、何をしてもおとがめなしの連中がいる。これまで誰も止められなかったが、その悪行(あくぎょう)を、今、やめさせようとしている。金融の世界でも、世界の権力紛争が一段と激しさを増している。

現在の国際金融秩序を作っているのは、IMF(国際通貨基金)や世界銀行、BIS(国際決済銀行)である。これらの大株主はアメリカであり、ズバリ一言でいうと、大手グローバル企業のために、世界各国から資源を奪い取る役割を果たしている。

IMFは貧しい国々を借金奴隷にしている。借金を返さないと、国の農地や港湾、鉱山をすべて渡せと迫る。破綻した国の政府に入り込み、「ぜんぶ言うことを聞け」と散々ひどいことをやるわけだ。国家破綻したアルゼンチンが、そのいい例だろう。

IMFの融資は、財政緊縮策や構造改革を押しつけ、本当の経済成長を目的としていないという批判がある。低所得国が多いアフリカでは、年間1000億ドル以上の資源がIMFに奪われているという。

それなのに、アメリカがデフォルトを発表した時、アメリカは、「お金はビタ一文返しません」と開き直ることだろう。

最近、世界の金融システムのトップが代わった。

イギリスのＭＩ６筋によると、現在「米ドル・円・ユーロ・英ポンド」の管理はイギリスに本部を置く３００人委員会が握っているという。この組織は長年にわたり英国エリザベス女王が頂点に君臨していたが、彼女が死去した後にトップは別の人物に代わっている。

その人物によると、エリザベス女王は他界する前にアジア王族の結社と、ある合意を交わしていたという。

それは、これから人類が目指すべきは、「人類を含む地球生命体の質と量を高め、さらには多様化させていくこと」というもの。これまでアメリカが率いてきた「ルールに基づく国際秩序」が降参し、ＢＲＩＣＳ側が勝利したのだ。

今、アジア勢は金（ゴールド）の現物をベースに新通貨を発行し、新たな世界金融システムの構築を提案しているという。

国際社会に流通する米ドルをこのまま使い続けるのではなく、新通貨に置き換えていく。具体的には、フィリピン在住のアジア王族が保有する金塊をベースに100兆ドル分の通貨を発行し、地球のための事業をやろうという話が進められている。

この時に発行されるのは米ドルではなく、それに代わる新たな国際通貨である。そして、そのうちの50兆ドル分をそのアジア王族が行うプロジェクトに充て、残りの50兆ドル分を新国際機関の「未来企画庁」の設立資金に充てるという。

この未来企画庁は、かつての日本の中央省庁の経済企画庁のように、個人や企業だけでは実現し得ない大型プロジェクトを企画・実現するための組織とする。

戦前のドイツ、戦後の日本、現在の中国やシンガポールなどが採用する経済運営モデルを、新国際機関が中心となって世界規模で実施していくという構想だ。

一方、各国の民間中央銀行を私物化するハザールマフィアは、デジタル通貨（ビットコインや中央銀行デジタル通貨など）をベースに、世界金融システムの独裁支配を維持しようと企んでいる。

この両陣営の対決の結果次第で、これから世界人類が歩む未来の方向性が決まる。

ハザールマフィアが立てた悪夢のような計画を阻止するためには、彼らが所有する金融機関や企業、不動産、株式など、すべての財産を差し押さえて国有化しておく必要がある。

「フィリピン在住のアジア王族の金を換金して新国際通貨を発行する」という案が実現すれば、ようやく欧米エリートの大量逮捕を始めることができるのだ。

◆ワクチン推進勢力の戦犯裁判が始まる

ハザールマフィアは、昔から過剰にトラウマを騒ぎ立て、国や大衆を操ってきた。今の彼らは、イソップ童話のオオカミ少年と同じだ。繰り返し事件の捏造を図り、人々を恐怖に陥れようとする。

カナダに本拠を置く公益相関研究のチームの報告によると、新型コロナウイルス感染症に対するｍＲＮＡワクチンにより、世界で約１７００万人が死亡したという。

平均すると、８００回の注射あたり1人が死亡し、もっとも多く死亡したのは高齢者だったそうだ。日本でも、ワクチン接種後の超過死亡のデータから、40万人ぐらいが新

世界中で「危険ワクチン」の推進に加担した人物に対する戦犯裁判が開始される

テドロスWHO事務局長

ビル・ゲイツ

アンソニー・ファウチ
NIAID(国立アレルギー・感染研究所)前所長

ファウチはすでに粛清されたという情報もある

アラン・ベルセ
スイス元大統領

型コロナのワクチン関連死ではないかと言われている。

厚生労働省が発表した2022年の人口動態統計では、年間の死亡数は、前年の2021年に比べて約13万人増の158万2000人となり、過去最多を記録している。この超過死亡のほとんどは、ワクチンの影響ではないかと疑う研究者も多い。

コロナの流行が終わって5類に移行することが決まってからも、超過死亡は増え続けているが、厚労省はなぜ増えたのか説明できない。

WHO（世界保健機関）は、2023年12月時点で、新型コロナウイルスのワクチンを共同購入・分配する国際的枠組み「COVAX（コバックス）」により、約20億回分を提供したと発表した。ちなみに、このワクチンの接種回数は、日本が4億3600万回と世界1位だった。

WHOは、2023年5月、世界で新型コロナウイルスに7億6500万人が感染し、692万人が死亡したと最終報告した。それでは、新型コロナ死の約2・5倍、1700万人のワクチン死の責任は、誰がとるのだろうか。

一番に挙げられるのは、WHOのテドロス事務局長だろう。世界に恐怖を煽り、危険なワクチンを配った罪は大きい。

ＷＨＯは政府間組織だと思いがちだが、その実態はビル・ゲイツやロスチャイルド、ロックフェラーなどの民間の資金が多分に投入されて成り立つ非政府組織（ＮＧＯ）に過ぎない。

ハザールマフィアの幹部とされるスイスのアラン・ベルセ大統領が、２０２３年末に退任した。それによりスイス政府が付与した世界経済フォーラムやＷＨＯなどの外交特権は剝奪（はくだつ）されることになるという。

モサド筋によると、「そうなれば、危険なワクチンの推進に加担した人物らが戦犯裁判に引きずり出されるのは、時間の問題だろう」との見方が有力だという。

現在、ワクチン被害を訴える裁判が世界各地で開かれている。

ＭＩ６筋によると、イギリスでは、次のステップとして「危険ワクチン」の推進に加担した人物に対する戦犯裁判が近く開始される予定だという。そうした動きは、アメリカをはじめ、スイスやオランダなどでも着々と進行中だ。

１７００万人をワクチンで殺したらただで済まされる話ではない。大量虐殺だ。かなりの数の戦犯が死刑にされるだろう。

バチカンのカルロス・ヴィガノ枢機卿によると、イスラエル当局のモサドが「欧米政府要人の性的児童虐待や拷問の場面」を録画し、それが長年にわたって脅迫材料として使われてきた、という。欧米の指導者らが挙って「パンデミック対策」と「ワクチン接種」を各国民に強制していたのも、それが原因だという。

昔のアメリカ南部には、自分は奴隷の身でありながら、屋敷の内外で働く奴隷を管理する奴隷頭（ハイレベル奴隷）がいた。主人の下請けとして一般奴隷をむごく扱う。要は自分の民族を裏切り、敵に寝返っている。

ハザールマフィアにとって、一般大衆は奴隷だ。WHOのテドロス事務局長も、スイスのアラン・ベルセ元大統領も、彼らに100％洗脳され、下請けとしてコロナ対策をやったのだろう。

日本でも、2024年2月、京都大学名誉教授の福島雅典氏が「ワクチンによる致死率」などの情報開示を求めて厚生労働省を提訴するなど、同様の動きがすでに始まっている。

バチカン内の改革派、カルロ・マリア・ヴィガノ枢機卿は、2022年3月7日に発表した書簡で、米国内の「ディープステイト」を非難し、ウクライナ支援とロシア憎悪にのめり込むEUとNATOの政策を批判、それとあわせて各国のコロナワクチン接種キャンペーンも激しく批判した

カルロ・ヴィガノ枢機卿

私も新型コロナのワクチンは生物兵器だと書いたら、グーグルからバン（ban）された。使用不可能、つまり出禁にされたわけだ。

アフリカでは、ファイザー社がワクチンを売りつける際に各国に要請した「死亡を含む有害副作用に対する賠償金は政府が支払う」という要求を拒絶したタンザニアの大統領やコートジボワールの首相などの国のトップが何人も殺された。それでもアフリカでの接種率は、世界の他の地域に比べ、格段に低かった。

これは、私が考えたブラックジョークだ。もしもこの悪魔たちの思惑通りに世界が進んでいたら、世界には、「陰謀論者」とアフリカ人しか残らない。つまり、ワクチンを拒否した人たちと、多くのアフリカ人だ。

◆中国内部でも政変が起きている

中国では、不動産価格が爆発的に高騰し、一般の国民が新築の家を買えない。

中国は過去20年で、桁外れと言える不動産バブルを経験してきた。2003年から2

018年までの間に、都市部の平均価格は290%以上上昇した。

また、不動産価格と年間所得を比べると、東京は12倍、ニューヨークは10倍に対して、上海50倍、深圳(しんせん)43倍、香港42倍、北京36倍と歴史的な高水準に達している（2023年、NUMBOE)。

つまり上海でマンションを買うのに、50年分の給料を全額支払う必要があるのだ。アメリカと同じように、これでは誰も家を買うことは不可能だ。

今、庶民に代わって購入しているのは大富豪だ。大富豪が投資用にマンションを購入しているのだが、借り手がいない。

近年の不動産不況も相まって、「鬼城(グェイチョン)」と呼ばれる建築途中の空っぽマンションも増えている。国内のマンションの空き室や空き家は、14億人の人口では埋められないと、中国国家統計局の元官僚が漏らしている。どうやら中国は、人口の2倍の30億人分のマンションを作ったという説もある。

今の中国の不動産市場の動きは、日本のバブル崩壊の過程と酷似(こくじ)している。そうなれば、日本と同じように、中国の不動産価格も、最終的には9割ほど下落するはずだ。

逆に、それくらい不動産価格が下がらないと、一般の人々の給料では一生かかっても家が買えない。そうなればなったで、中国の既存の金融システムと共産党の権力基盤が揺らぐのは必須だ。

2024年1月、中国のシャドーバンキング（影の銀行）大手、中植企業集団が破産申請を行った。ピーク時の運用資産は1400億ドル（約20兆2600億円）を超える巨大企業だったが、深刻化する不動産危機に飲み込まれ、急激に転落し破綻した。

中国人の個人資産の7割以上が不動産だと言われている。その価値が下落すれば、必ず社会不安が起きる。実際、2023年中に、不動産をめぐるデモや騒動が約1800件も発生しているのだ。この不動産危機を中国はどうやって乗り切るのだろうか。

情報筋の話では、どうやら中国は、空っぽのマンションを子どもが多い家族に無償で配るなど、思い切った徳政令で対処しようとしているらしい。

中国がらみで、もう1つ気になる事件が起きた。

中国系の女性実業家、アンジェラ・チャオが不審な事故死をした。アンジェラ氏は米海運大手、フォアモスト・グループのCEOで、対中ビジネスを拡大してきた。

2024年2月11日、イーレン・チャオの妹、アンジェラ・チャオが不審な交通事故死を遂げた

姉のイーレン・チャオと
その夫のミッチ・マコーネル

アンジェラ・チャオ

アンジェラ・チャオは海運会社フォアモスト・グループのＣＥＯで、中国４大商業銀行とされる中国銀行（Bank of China）の取締役なども務めていた人物。彼女は姉とともに中国に関するロックフェラーのハイレベルな協力者だった

姉のイーレン・チャオは、共和党のミッチ・マコーネル上院議員の奥さんである。つまり、マコーネルの義妹に当たる人物だ。

アンジェラ・チャオの突然の死因は、テスラの爆発事故だとも、池に沈んだとも、交差点信号待ちでのトラックの追突事故死だとも言われ、不信さに満ちている。

アンジェラ・チャオは、ハザールマフィアの牙城（がじょう）の外交問題評議会のメンバーで、中国で江沢民派とつながっていた。米共和党トップの、マコーネルの年内退任と合わせ、反ハザールマフィアの改革派と中国との間で何かが行われたのかもしれない。

いずれにしても、世界に与える中国の影響力は強大だ。

今、世界の人口の65%がアジアで、ＧＤＰはアジアが圧倒的に多い。また、中国が主導する拡大ＢＲＩＣＳの購買力平価でのＧＤＰは、Ｇ7のそれより圧倒的に大きい。

この1年間で、中国が導入した太陽電池は、アメリカ建国以来のすべての量を超えているという。また、中国が3年間で使ったコンクリートの量は、アメリカが20世紀全体で使った量を超えているそうだ。とにかく中国の経済力には圧倒されている。

因みに、日本のメディアがこのところ頻繁に煽っている「台湾有事」は起きない。台湾が平和裏に中国に統一されることはすでに決まっている。第3次世界大戦をどうしても起こしたいハザールマフィアは相変わらず愚かな策謀を続けているが、米軍にも中国軍にもその気はさらさらない。

◆南米とアフリカでのハザールマフィアの悪あがきは失敗

南米のアルゼンチンとブラジルで、ハザールマフィアと改革勢力との暗闘が続いている。

アルゼンチンでは、2023年12月、急進的なリバタリアン（自由市場主義者）で知られる右派、ハビエル・ミレイが大統領に就任した。

第1章で述べたように、ミレイは大統領に就任するやいなや、ニューヨークのチャバド本部を訪れ、身の毛がよだつ子供を生贄（いけにえ）にした儀式を行ったという情報がある。

アルゼンチンは、この数十年でインフレ率が200%に迫るなど、最悪の経済危機にある。ミレイは通貨ペソを廃止し、通貨のドル化と中央銀行の廃止を訴えて当選した。

通貨のドル化とは、米ドルを自国の法定通貨として導入するもので、その国で使用される通貨が米ドルに置き換わる。

ドル化を採用すれば、アメリカのＦＲＢ（連邦準備理事会）の政策や景気に左右され、中央銀行も廃止となると、金融政策のコントロールがまったくできない。ミレイは、アルゼンチン政府と国民をアメリカに差し出したと言っても過言でないだろう。

また、アルゼンチンは、２０２４年１月から加盟を予定していた拡大ＢＲＩＣＳの参加を見送った。中国、ロシアが主導する巨大経済圏を自ら放棄したのだ。

ミレイはアルゼンチン国民への食糧支援や福祉へのお金を止め、その分をＩＭＦへの債務返済に全額当てている。ミレイのクーデターによってハザールマフィアに乗っ取られたアルゼンチンでは、ミレイのやろうとすることに反発する勢力も強く、内戦状態となっている。

もともとアルゼンチンは、第１次世界大戦前は世界で十指に入る豊かな国だった。１９１０年の１人当たりＧＤＰ（国内総生産）はイギリスの８割で、ドイツを上回っている。

しかし、第2次世界大戦後、たび重なる政権交代と保護貿易中心の政策に翻弄され、先進国の中で唯一、途上国に転落してしまった。

自国の産業を守ろうと保護貿易政策を取り、輸入品に高関税かけると、国内のインフレが加速する。その結果、通貨安となり、にもかかわらず国際競争力が失われる。

中国とロシアを村八分にしようとしたら、逆に自分たちが村八分になった。アメリカもアルゼンチンも世界の中で孤立している。

アルゼンチンの隣国ブラジルは南米1位の経済大国だ（GDP1兆9200億ドル、2022年、世界銀行）。

ブラジルのルーラ・ダ・シルヴァ大統領は、2024年2月、イスラエルがパレスチナ自治区ガザ地区で集団虐殺を行っていると非難し、その行為をユダヤ人のホロコースト（集団虐殺）になぞらえた。

その前の2023年12月には、南アフリカが、ガザに攻撃を続けるイスラエルがジェノサイド防止条約に違反しているとして、国際司法裁判所（ICJ）に提訴している。

現在、正式な判断は出ていないが、イスラエルに対し即時停止を求める勧告が出ている。

ガザ地区での住民の死亡は3万人を超え、イスラエルに対する抗議デモは世界各地で激しさを増している。ハザールマフィア=ネタニヤフは窮地に陥っている。

ブラジルのルーラの前の大統領は、「ブラジルのトランプ」と言われたジャイール・ボルソナーロ（任期2019年1月-2022年12月）だ。ボルソナーロ降ろしはロシア、中国、ヨーロッパの共同の思惑で行われた。アマゾン地域での開発から森林を守ることを口実に、ボルソナーロを追い払った。ボルソナーロはアマゾンを「何の役にも立っていない」と森林伐採を進めていた。

ボロソナーロの後、大統領に復活したルーラも結構曲者（くせもの）だ。BRICS万歳を叫んでいるが、本心はわからない。

メキシコでも奇妙なことが起きている。2024年6月の大統領選に向けて、女性候補同士の一騎打ちとなった。その1人、ユダヤ系で前メキシコシティ市長のクラウディア・シェインバウムには、不思議なうわさがある。

メキシコ人の私の情報源によると、大統領に近い人が、「彼女は人間ではないんじゃないか」と言っていたという。情報提供してくれた本人は「宇宙人じゃないか」と言っていた（笑）。真偽はわからないが、シェインバウムは得体の知れない人たちに管理されたアバター（役者）なのだろう。

南米のブラジル、アルゼンチン、メキシコの乗っ取りをめぐって、ハザールマフィアと抵抗勢力との攻防戦となっている。

また、アフリカにおいて、コロナワクチンの接種率は20％超に留まった。新型コロナウイルスも、そのワクチンも間違いなく生物兵器だ。

西側のエリートたちは、自分たちが生き残るために、さまざまな生物兵器をばらまいた。エボラウイルス、SARS（サーズ）、MERS（マーズ）、鳥インフルエンザ、HIVもそうである。しかし、なかなかうまくいかない。大量殺害できず、アフリカを無人化できなかった。新型コロナのワクチンに関しても、アフリカの人たちはワクチンを信じていないので助かった。

長い歴史によって家畜化され、愛玩（あいがん）動物にされてしまった欧米人、東アジア人に対し、アフリカ人やインド人、中近東の人たちは、まだ洗脳されていない。上からの命令に素直に従わないのだ。野生人間である彼らに人類の未来はある。

◆東アジアの金が新世界金融体制の保証となる

ハザールマフィアの東アジアでの攻防はどうなのか。北朝鮮とロシア、アメリカの関係を手始めに見ていこう。

韓国の国防相によると、北朝鮮はロシアのウクライナ侵攻を支援するため、2023年7月以降の半年で、300万発以上の砲弾を提供した。

第2次世界大戦時の戦場では、戦死者の8割が大砲にやられた。榴弾砲やカノン砲、迫撃砲などだ。実際に、小銃で射殺されたのは、わずか5%だけだったという。これは、ウクライナ戦争でもそうだ。

一番たくさん大砲と大砲弾を持っているほうが、戦争に勝つ。今、北朝鮮のロシア向けの工場はフル稼働中だという。

もともと北朝鮮は、アメリカとつながっていた。
ブッシュ（子）政権で国防長官を務めたドナルド・ラムズフェルド（2021年死去）は、アメリカの国家ミサイル防衛（NMD）計画を主導。退任後は、軍事ハイテク機器メーカーの会長などを務めていたが、ソ連との冷戦が終わると、迎撃ミサイルを営業しづらくなった。そこでラムズフェルドは、パキスタン経由で北朝鮮に弾道ミサイル、テポドンの技術と核爆弾を提供したという。

情報筋によると、ラムズフェルドは、1989年以来、1発1億ドルを北朝鮮に支払って、日本に向けてテポドンを撃たせたそうだ。日本国内の恐怖を煽り、日本に迎撃のためのパトリオットミサイル（PAC3）システムの売り込みに行くためである。ラムズフェルドの営業は成功し、その後、日本は1発5億円、1基50億円と、たいへん高いパトリオットミサイルをアメリカから購入することになった。現在、日本の陸上自衛隊には、34基のパトリオットミサイルが配備されている。

テポドンは中距離ミサイルで、アメリカまでは届かない。北朝鮮が開発中の射程5500キロ以上、アメリカを射程範囲に捉えたICBM（大陸間弾道ミサイル）は、ロシアが技術を提供している。

2003年、北朝鮮とアメリカの裏方との関係は決裂した。きっかけはSARS（サーズ）だ。SARSはアジア人しかかからない生物兵器で、2002年11月に中国広東省で発生し、2003年8月に終息した。

北朝鮮はもともと関東軍が作った親日国だ。私に入った情報では、長期計画として、南北朝鮮を統一し、その後、金一族と日本の天皇家との政略結婚を狙っているという。近年中に、力ずくで韓国を統一させるかもしれない。少なくとも北朝鮮主導での朝鮮半島統一は規定路線だ。確実に何かが起きるだろう。

2024年2月、インドネシアの大統領選で、ジョコ元大統領の後継者のプラボウォ・スビアント国防相が勝った。独裁政権を続けたスハルト大統領の娘婿である。プラボウォは、パプアニューギニアの島の金鉱山の利権を狙っており、アメリカが裏から後押ししている。アメリカの手先だという情報もある。

ハザールマフィアらは パプアニューギニアの金鉱山利権を手に入れるため、内戦勃発を目論んで躍起になって動いているという。

インドネシアは、人口2億7000万人で、インド、中国、アメリカに次ぐ世界4位、名目GDPでも17位（2023年、IMF）の大国だ。急成長中の若い国なので、これから、欧米勢力との攻防戦が起きる。経済面での影響力は、中国が圧勝している。しかし軍はアメリカという不安定な状況にある。

今、中国がインドネシアでニッケル鉱山を経営し、70万人の中国人が働いているという。ニッケルは電気自動車に必ず必要な金属であり、インドネシアから利権を奪おうとしている。

世界の金（きん）の85％はアジアが管理しているという情報がある。インドネシアのスハルトもスカルノ（ともに大統領）も、フィリピンのマルコス（大統領）も王族のメンバーだ。

古来より欧米とアジアとの通商の中で、欧米は陶器、絹、スパイスを買い、銀と金でアジアの王族に支払った。この銀や金はおもに南米から奪ったものだ。その金がこの2000年間、徐々にアジアに集まっている。

アジアに存在するのは金だけではない。「米ドル札」もあるのだ。米財務省の官僚がペンタゴンの代理にコンタクトを取り、「アジア諸国にある米ドル札の束を引き取りたい」とオファーしているという。

対アメリカ貿易黒字を計上した国は、長年その黒字額の分を米ドル札で受け取ってきた。

アメリカは1976年頃から慢性的な貿易赤字が続いているため、相当な量の米ドル札が世界各地に存在している。

2000年以降だけでも、アメリカの貿易赤字は総額12兆1430億ドルに上り、それが「100ドル札の束」という形で、おもにアジア諸国（特に日本と中国）の蔵で眠っているという。「100ドル札の束、1兆ドル分」の12倍、少なくとも12兆ドルの量の札束が、アジアのどこかにあるのだ。

これまでアジアの国々は対アメリカ貿易収支で黒字を計上しても、渡された米ドル札を使わせてもらえなかった。

米財務省の官僚が出したオファーは、「米ドル札を何らかの条件と引き換えにアジアから引き取り、新しい欧米金融システムのために使おう」という提案のようだ。それらの水面下の動きが本格化すれば、各国政界や、戦後の国際体制の枠組みも大きく変わることになる。

◆日本――日は沈み、日はまた昇る

日本はまだ完全に乗っ取られている。

ラーム・エマニュエル駐日大使をはじめ、日本を管理しているグループは、ハザールマフィアのいちばん悪質なグループだ。日本はハザールマフィアの最後の砦（とりで）となっている。

日本も、彼らの手先であるエマニュエル駐日米国大使を国外に追放すれば、ふたたび独立国家に戻れるだろう。

２０１１年3月11日、日本は東日本大テロ攻撃に遭（あ）い、ふたたび欧米の特権階級に降伏した。それ以降、日本は、より従順な欧米勢の奴隷になり、総理や政権幹部、官僚たちは、今も悪魔崇拝カルトから手渡されたシナリオを読み上げ続けている。

その結果、日本は死神に取り憑かれてしまった。２０２３年、日本の人口は83万人も減っている。そして、そのうちの40万人以上がワクチンで殺されているのだ。これは偶発的に起きたことではない。

２０２４年3月、日経平均が過去最高を更新し、４万円台に乗せた。１ドル１６０円に迫る記録的な円安とセットとなり、日本政府は株式市場を経由してハザールマフィアにお金を渡している。

日銀や日本の上場企業の大株主は、アメリカの大手５００社、多国籍企業の９割を支配している欧米グループだ。彼らは日銀を使って株高を演出し、のこのこと入ってきた一般国民のお金をすべて吸い上げる魂胆だ。

統一教会にしても大元は同じだ。統一教会はハザールマフィアの東アジア実行部隊で、日本からお金を集める役目だったのだろう。解体されることに大きな意味がある。

自民党の裏金問題についても、私は長年の永田町取材の結論として、政治家の3分の2は賄賂漬けの役者だと思っている。政治家でも何でもない。政界が海外から賄賂をもらって、脚本通りの芝居を演じる劇団であることがばれつつある。

日本で格差が拡大し、貧困化が進む今、必要なのは富の再分配だ。現代版の徳政令と農地改革を行う必要がある。

第3章でも述べたが、もし徳政令で、国民にお金を配ると、株の時価総額÷人口で、1人当たり800万円もらえる計算になる。また、賃貸に住んでいる人たちは、住んでいるアパートやマンション、借家が自分の持ち物になる。

日銀を国有化し、政府紙幣を発行すると、税金も国民健康保険も払う必要がなくなる。すべての日本人は、家賃を払わない、税金を払わない、国民健康保険料を払わない。そして不動産を持つ。プラス銀行口座に800万円ある。ギリギリの生活を迫られている人たちは大喜びだろう。

政府紙幣で、公共事業、教育、福祉、医療、防衛、研究開発もまかなうのだ。これは、かつてカナダでも実施されていた政策だ。税金の徴収がなくなるから、国税庁もいらなくなる。

借金がなくなり、腹の中の寄生虫がいなくなると、国民はすごく元気になるはずだ。

今や、日本と中国との貿易額は、日本とアメリカとのそれより大きい。政治だけが現実についていっていない。政治が実体経済に遅れているのだ。現実についていく政治に変わることが必要だ。

そこで、新たにシン大東亜共栄圏を作るのはどうだろうか。

日本はこれまで1勝1敗だ。日露戦争で1勝、第2次世界大戦で1敗。今度は独自の経済圏を作り、３回目で戦勝国になる。

日本は、アジアと欧米西側をつなぐ重大な地位に就ける実力がある。両方を理解しているのが日本であり、スイスのような仲介役になるだろう。

さらに、経済企画庁を復活させることだ。戦後高度成長期のような経済運営、官僚を中心とした能力主義に変わる。そこで日本を食い物にするハゲタカどもを国外追放する。ハザールマフィアの大掃除により、約１６０年間続いた欧米による日本支配がもうすぐ終わろうとしている。

「日は沈み、また昇る」。世界はいい方向に動いている。

日本は朝日の前にいるのだ。

おわりに

本書の校正作業が手離れする寸前のぎりぎりの段階での最新情報を、私のメルマガ（ＶＯＬ７５０）から転載して、「おわりに」に替えたい。

近い将来、アメリカとイスラエルは消滅するだろうと複数の欧米当局筋が伝えている。その後はイスラエル・パレスチナが合体して「ジュディア（ユダヤ）」、アメリカ・カナダが合体して「北米共和国」という新しい国家が誕生することになるという。

【イスラエルの孤立】

まずイスラエルについては、その地に古代からずっと住み続けてきた元々のユダヤ人（＝現在パレスチナ人と呼ばれている人々）が、戦後にヨーロッパから来た移民（＝今のイスラエル人）と同じ権利（参政権や市民権などすべて）を獲得する。そして、長年にわたり彼らを虐げてきたシオニストたちは、今のパレスチナの人々に莫大な損害賠償を支払うことになるという。

そうしなければ、ロシアとイランが超高速ミサイルでイスラエルを殲滅すると通告した……との情報も寄せられている。そうなれば、アメリカもイスラエルもそれを止めることは不可能だ。そもそも米軍はバイデン政権やイスラエルのためにロシアやイランと戦争をするつもりは毛頭ない。

こうした世界の変化を裏づける出来事は、すでに一般のメディアでも報じられている。たとえば、5月11日に報じられた以下のニュースをご覧いただきたい。

> 国連総会ではパレスチナの国連加盟を支持する決議案の採決が行われ、143か国が賛成したのに対し、反対はアメリカやイスラエルなど9か国にとどまり、圧倒的多数の賛成で決議は採択されました……
>
> （https://www3.nhk.or.jp/news/html/20240511/k10014446111000.html）

また、それと関連して以下のニュースも参照してほしい。

アメリカのバイデン政権は、イスラエルのガザ地区への攻撃をめぐり、イスラエルに供与した武器が「国際人道法に矛盾する形で使用されたと評価するのが妥当だ」とする報告書をまとめました。ただ、十分な証拠を集めることが難しく、現時点で国際人道法に違反したと結論づけることはできないとしています……

（https://www3.nhk.or.jp/news/html/20240511/k10014446391000.html）

これはNHKの記事なのだが、アメリカの大手メディアが伝える「十分な証拠を集めることが難しく……」という明らかな嘘をそのまま伝え、ハザールマフィアの大本営発表を今なお垂れ流している。

しかし実際問題として、現在イスラエルとそれを擁護するアメリカは国際社会から孤立し、完全に行き詰まっている状況だ。世界中が見ている中で「ガザの大虐殺」を行ったのだから当然の結果だろう。

ただ、先述の通りロシアとイランが警告を発したことを受けて、イスラエルはガザへの攻撃を完全に停止。現在、大手マスコミでは「イスラエルがガザ地区の南部ラファで軍事作戦を強化」などと報じているが、そこで流れている映像は過去の動画やＣＧだとＣＩＡ筋は伝えている。

【戦犯裁判が近い】

しかも5月2日には、トルコの貿易省がX（旧 Twitter）で「イスラエルとの貿易をすべて停止する」と発表している。これでイスラエルの総原油輸入量の40％が止まった。さらにはイエメンの親イラン武装組織フーシ派が「イスラエルに関係するあらゆる企業の船舶（物資の供給や輸出入）を、その目的地に関係なく標的にする」との声明を出している。フーシ派は地中海までミサイルを飛ばせるだけの十分な軍事装備を保有しているため、事実上イスラエル周辺は完全に封鎖された格好だ。

さらに、イスラエルをめぐる異変のサインとして「２０１８年にネタニヤフ首相がカールに書簡を送り、定期的にハマスへ資金提供を行うよう要請していた」との記事をイスラエルの国内メディアが報じている。それにより取るに足らないテロ組織だったハマスが武器や大部隊を手に入れ、地下トンネル網を築き、戦闘準備を整えることができたわけだ。このことだけでも「イスラエルとガザの騒動」がネタニヤフ政権の自作自演であったことは明白だろう。ネタニヤフおよび政権閣僚の多くが戦犯裁判に引きずり出されるのは時間の問題である（https://www.ynetnews.com/article/bk8mgcefr）。

また、イスラエルと同じくハザールマフィアが巣食う犯罪国家、ウクライナのゼレンスキー大統領も戦犯として裁かれるのは必至だ。5月4日に「ロシアはウクライナのゼレンスキー大統領について刑事事件として立件し指名手配した」とロシア国営のタス通信が報じたことを受け、さっそく米軍がゼレンスキーをグアンタナモ基地に連行した……との情報も寄せられている（https://jp.reuters.com/world/ukraine/AXOTEHWFGVPQVI74UJUXTJ3TJI-2024-05-06/）。

ポーランド当局筋によるとゼレンスキーの逮捕が早急に行われた理由の1つはウクライナ軍が裏ではすでに完全降伏しているからだという。そのため か、5月9日にはロシア内務省の指名手配リストからゼレンスキーの名前が削除されている（https://www.jiji.com/jc/article?k=2024051000489&g=int）。

しかも、ゼレンスキー大統領の任期は5月21日で終了する。また、それに伴う大統領選もまったく予定されていない状況だ。いずれにせよ、今後ゼレンスキーが大統領に再選されることはないだろう。

【アメリカの異変】

異変はアメリカでも起きている。米軍筋によると、ワシントンDCという特別区はすでに存在しないという。同筋の話では、北米共和国が誕生した後の政治の中心地はカナダのマニトバ州南部にある都市ウィニペグに移る予定だ。

また同筋は「アメリカは今、臨時軍事政権下にある」と主張し、グアンタナモ基地を撮影した以下の動画のリンクを送ってきている。

https://twitter.com/bannedman1776/status/1786952352936702190

それによると、現在 アメリカではエリートの逮捕劇が進行中だという。そして、動

ヒラリー・クリントンの遺体か？

米軍筋によると、現在アメリカではエリートの逮捕劇が進行中だという。「アメリカは今、臨時軍事政権下にある」とグアンタナモ基地を撮影した動画（https://twitter.com/bannedman1776/status/1786952352936702190）では、最後のほうにヒラリー・クリントンの遺体と思われる画像が挿入されている

収容所施設のあるグアンタナモ米軍基地は厳戒態勢だ

画の最後のほうにはヒラリー・クリントンの遺体と思われる画像も挿入されている。

さらに先週、米国務省が運営するエポックテレビが「ドナルド・トランプがFRBの国有化を秘密裏に計画している……」と報じている（https://www.epochtv.shop/post/trump-allegedly-has-secret-plans-to-federalize-the-federal-reserve）。

これについては日本でも、複数の筋が「日銀の国有化が始まる」と伝えている。それが実現すれば、かつて日本の中央省庁にあった経済企画庁を復活させて、日本の国家運営を世襲議員中心の政治体制から再び官僚中心の体制へと戻す方向で調整されるという。

さらに情報筋は、他のG7国家も経済企画庁と同じ機能を持つ組織を立ち上げて欧米経済の運営方法を根本的に変えるつもりだと話している。実際、そうでもしないと中国やロシアの勢いに押され、欧米諸国は今後も世界の覇権争いで負け続けることになる。

ちなみに5月7日、ロシア政府は「2030年に向けた国家目標」を発表している。それによると、ロシアは2030年までに購買力平価（PPP）ベースのGDPを世界4位に浮上させることを目指すという。その他にもロシアは「人口の保全」や「家族支援」、「教育」、「生活環境」、「福祉」、「テクノロジー」……等々、盛りだくさんの目標を掲げている（https://tass.com/politics/1785265）。

それに対し、アメリカの国家権力は長年にわたり米国民の利害とは何の関係もないウクライナやイスラエルのために膨大な費用と時間を費やしてきた。そのため、米軍筋は「近い将来、アメリカの既存権力はすべて一掃する」と話している。

また、この本の原稿がゲラになった段階で、ＷＨＯが採択を目指していたパンデミック条約が失敗に終わったので、これで人類の家畜化計画が頓挫した。人類の人間牧場からの解放は近い。

もちろん、大本営発表が完全に変わったことを実際に確認するまで油断は禁物だ。しかし今、世界を取り巻く情勢に「大きな変化のうねり」が押し寄せているのは間違いない。新時代の幕開けは、着実に近づいている。

２０２４年５月

ベンジャミン・フルフォード

■著者プロフィール

ベンジャミン・フルフォード
(Benjamin Fulford)

1961年カナダ生まれ。ジャーナリスト。上智大学比較文学科を経て、カナダのブリティシュ・コロンビア大学卒業。米経済紙『フォーブス』の元アジア太平洋支局長。主な著書に『日本がアルゼンチン・タンゴを踊る日』(光文社、2002)、『ヤクザ・リセッション』(光文社、2003)、『一神教の終わり』(秀和システム、2021.7)、『破滅する世界経済と日本の危機』(かや書房、2022.12)、『世界人類を支配する悪魔の正体』(副島隆彦氏との共著、秀和システム、2023.1)、『ディストピア化する世界経済』(清談社Publico、2023.7)、『世界革命前夜』(秀和システム、2023.10)、『もしトランプが米大統領に復活したら』(宝島社、2024.4)ほか多数。

アメリカ帝国消滅後の世界
大掃除される《悪魔》ハザールマフィア

発行日 2024年 6月17日 第1版第1刷
2024年 7月11日 第1版第2刷

著 者 ベンジャミン・フルフォード

発行者 斉藤 和邦
発行所 株式会社 秀和システム
〒135-0016
東京都江東区東陽2-4-2 新宮ビル2F
Tel 03-6264-3105(販売) Fax 03-6264-3094
印刷所 三松堂印刷株式会社 Printed in Japan

ISBN978-4-7980-7232-6 C0095

定価はカバーに表示してあります。
乱丁本・落丁本はお取りかえいたします。
本書に関するご質問については、ご質問の内容と住所、氏名、電話番号を明記のうえ、当社編集部宛FAXまたは書面にてお送りください。お電話によるご質問は受け付けておりませんのであらかじめご了承ください。